PIERRE D'ANGLE

PREMIÈRE PARTIE

LE
VOYAGE

Catalogage avant publication de Bibliothèque et Archives nationales du Québec
et Bibliothèque et Archives Canada

Quiviger, Pascale, 1969-

   Pierre d'angle
   Sommaire : t. 1. Le voyage.
   Pour les jeunes de 9 ans et plus.

   ISBN 978-2-89579-595-7 (vol. 1)

   I. Quiviger, Pascale, 1969- . Voyage. II. Titre. III. Titre : Le voyage.

PS8583.U584P53 2014   jC843'.6   C2013-942586-1
PS9583.U584P53 2014

Dépôt légal – Bibliothèque et Archives nationales du Québec, 2014
Bibliothèque et Archives Canada, 2014

Direction éditoriale : Gilda Routy
Révision : Madeleine Vincent
Conception de la couverture et mise en pages : Mardigrafe inc.
Illustrations de la couverture : © Thinkstock

Nous reconnaissons l'aide financière du gouvernement du Canada par l'entremise du Fonds du livre
du Canada (FLC) pour des activités de développement de notre entreprise.

Conseil des Arts   **Canada Council**
du Canada   **for the Arts**

Bayard Canada Livres inc. remercie le Conseil des Arts du Canada du soutien accordé
à son programme d'édition dans le cadre du Programme des subventions globales aux éditeurs.

Cet ouvrage a été publié avec le soutien de la SODEC. Gouvernement du Québec –
Programme de crédit d'impôt pour l'édition de livres – Gestion SODEC.

Bayard Canada Livres
4475, rue Frontenac, Montréal (Québec) H2H 2S2
Téléphone : 514 844-2111 ou 1 866 844-2111
edition@bayardcanada.com
bayardlivres.ca

Imprimé au Canada

Offert en version numérique

978-2-89579-922-1

bayardlivres.ca

Pascale Quiviger

PIERRE D'ANGLE

PREMIÈRE PARTIE

LE VOYAGE

Bayard

CANADA

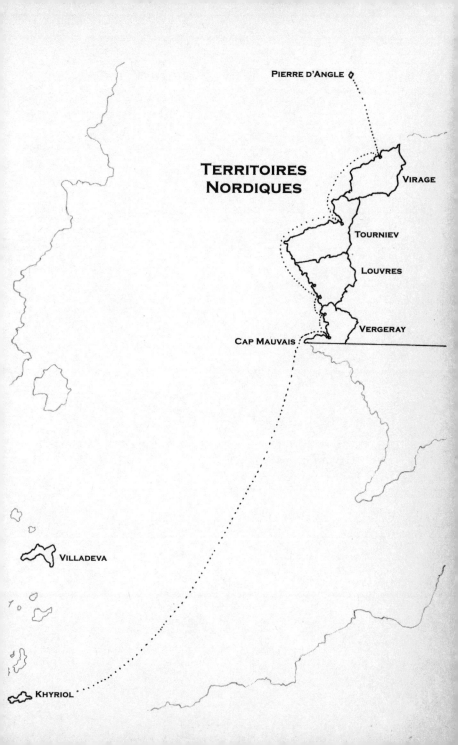

CHAPITRE I

« Terre en vue ! »

Dans la nuit noire, le cri du gabier sembla tomber d'une étoile. L'exclamation joyeuse qui lui répondit du pont réveilla les hommes qui ronflaient dans leur hamac. Le second lui-même sortit de sa cabine et s'avança sur la dunette en lissant ses cheveux précocement gris.

« Nous verrons l'aube se lever sur le port, c'est parfait », se réjouit le prince Thibault.

Après avoir promis à l'équipage cette escale tant méritée, il avait compté les heures qui les séparaient de Khyriol. C'est d'ailleurs la raison pour laquelle il se trouvait encore à la proue de l'*Isabelle* en pleine nuit.

« Oh que non ! » rétorqua pourtant l'amiral Dorec. « Baissez toutes les voiles !, ordonna-t-il. Nous jetons l'ancre ! »

« Quoi ? » s'étonna le prince.

« Immédiatement ! » continua l'amiral.

« Mais, amiral… » commença le second qui, croyant rêver, se frotta les yeux.

L'amiral lui jeta un regard sévère et pinça les lèvres. Il le reprenait chaque fois qu'il le pouvait. Les occasions étaient rares et il les savourait. Guillaume Lebel, capable et ingénieux, faisait un second exemplaire. Au contraire de l'amiral, il se montrait sociable et enjoué, ce qui lui donnait la camaraderie en plus de l'autorité. L'amiral enviait secrètement cet homme de trente-cinq ans son cadet qui deviendrait à son tour aisément capitaine.

« Ce que le gabier a vu, Guillaume Lebel, c'est un phare. » L'amiral leva la tête. « N'est-ce pas, Marcel ? C'est un phare ? »

« Plusieurs phares, amiral. Presque une route pavée. »

« C'est bien ce que je dis. Descends tout de suite. Gabiers ! Ramassez les voiles ! »

« Je ne comprends toujours pas, amiral », insista Thibault.

« Ah, plus d'un s'y est fait prendre, sire. L'illusion est parfaite. On n'accoste jamais de nuit à Khyriol. *Jamais.* Pas si on tient au bateau. À l'équipage. Aux marchandises. Les insulaires eux-mêmes attendent le jour. »

« Mais quelle illusion ? Un phare, c'est un phare, non ? »

« Pas s'il est placé à l'intérieur des terres, sire. »

« À l'intérieur des terres ! » s'écria le second, qui eut droit, derechef, à un autre regard sévère.

« Mais c'est un fait connu, Guillaume Lebel. Les navires qui se laissent guider par les phares de Khyriol vont s'échouer sur une plage. Marée haute, marée basse, rien n'y change. On leur vient en aide, bien sûr, et avec le sourire. On débarque les hommes à bâbord, pendant qu'à tribord on vide la cale. Ah ! Ils sont pirates sans même se donner la peine de prendre le large. Je déteste Khyriol. »

« Ça, vous l'avez dit cent fois », remarqua le prince.

« Mille », renchérit le second.

« Et je n'ai pas honte de le répéter. Je déteste Khyriol. »

Les hommes du quart de nuit baissaient les voiles. Le bruit de la chaîne de l'ancre, dans l'écubier, acheva de réveiller ceux qui s'étaient rendormis. On ne discutait pas avec Albert Dorec, l'homme chauve qui se faisait appeler *amiral*, même si Pierre d'Angle, leur île d'origine, n'avait jamais eu d'armée.

Dorec était célèbre depuis sa tendre jeunesse pour sa participation à une audacieuse expédition polaire. Bien que simple matelot à l'époque, c'est à lui que l'équipage avait dû sa survie lorsque le froid leur fendait les dents et qu'ils n'avaient plus que leurs bottes à manger. Le jeune Albert les avait convaincus de haler leur navire prisonnier des glaces en plantant des clous dans leurs semelles. Il avait fait ficher des haches sur l'étrave du navire pour que la glace se brise à son passage. L'expédition était rentrée avec deux peaux d'ours, un peu de gras de phoque, moins d'orteils qu'il n'y avait d'hommes et pas un seul lobe d'oreille. Mais l'équipage était vivant et Dorec, promis à une carrière exceptionnelle.

Un demi-siècle avait passé. L'amiral ne répondait plus qu'aux ordres directs du roi Albéric de Pierre d'Angle pour lequel il cultivait une admiration sans borne. Il prenait une satisfaction immense aux missions de l'*Isabelle* et l'avait tirée de plusieurs situations délicates, du cyclone à la guerre civile en passant par les pirates. Le trois-mâts accastillé pour le prince héritier, conçu par le meilleur armateur de Pierre d'Angle, le gonflait de fierté. Il ne manquait pas une occasion de vanter les crottes de rats qu'on trouvait dans sa cale, emmêlées à la jute des sacs de provisions. Sur les navires ordinaires, la vermine remonte dans l'entrepont à chaque risque d'inondation, mais, à bord de l'*Isabelle*, on n'en voyait jamais la queue. « Gaillard le vaisseau qui garde ses rats au sec », aimait-il répéter.

Bref, il endossait son rôle avec brio et passion. On ne lui connaissait qu'un seul vice : les biscuits à la pâte d'amandes qu'il gardait jalousement dans une boîte de fer-blanc, sous sa couche. À son avis, on ne les faisait bien que dans sa ville natale d'Ys, où les amandes sauvages étaient un peu amères.

***

Une fois les voiles baissées et l'ancre jetée, la nuit tropicale se referma sur l'*Isabelle*. On n'entendit plus que le sifflotement d'un gabier, le choc des poulies contre les mâts et le clapotis de l'eau contre le bordage. La figure de proue, une tête de renard blanc, semblait humer l'océan, le museau projeté en avant, les oreilles dressées. Thibault se retira dans sa cabine et s'allongea sur sa couchette sans se déchausser. Ainsi, l'aube le trouverait prêt à déjouer les pièges de Khyriol. À la lumière du jour, ils réussiraient bien à dénicher le port. Il passa une main dans la chevelure indomptable qu'il tenait de son père, d'un châtain clair que le sel marin faisait virer au blond. C'est de sa mère, cependant, qu'il tenait son visage. Éloïse était morte très jeune, et Thibault lui ressemblait tellement que le roi en avait parfois les larmes aux yeux. Albéric avait aimé sa belle dentellière et, malgré de secondes noces, ne s'était jamais tout à fait remis de son deuil. Thibault lui-même en gardait une ombre au regard qui contrastait avec tout le reste de sa personne.

Le roi lui avait confié l'*Isabelle* le jour de ses quinze ans, sans se douter qu'il y passerait plusieurs années, ne mouillant plus à Pierre d'Angle que pour mieux en repartir. La nature impétueuse du prince avait trouvé dans la mer une parfaite compagne. De jour en jour, elle l'avait érodé, comme la pluie, goutte à goutte, transforme une falaise. Dès que la couronne serait déposée sur sa tête, Thibault n'aurait plus la liberté de parcourir le monde. Il le savait. Il appartiendrait à ses sujets – les habitants coriaces d'une île aussi splendide que rude, où la moindre pomme de terre représentait une victoire contre les vents et les cailloux. Il appartiendrait à son royaume heureux, reconnu par-delà les mers pour ses arts et son orfèvrerie, et qui répétait, d'un règne à l'autre, l'exploit de rester politiquement neutre malgré sa taille réduite.

C'est pourquoi il s'était aventuré de plus en plus loin, dans des contrées de plus en plus obscures, aux coutumes de plus en plus étranges. Sans qu'il s'en doute, celui-ci était son dernier voyage. C'était aussi le plus audacieux. Une simple phrase l'avait provoqué, lancée d'un ton banal par son vieux précepteur, Clément de Frenelles. Tour à tour scientifique, explorateur, juge de paix, conseiller du roi et précepteur du prince, Clément de Frenelles était un homme extraordinaire, dont la moindre syllabe savait retenir l'attention de son pupille. « Nul ne se connaît lui-même s'il n'a pas passé l'équateur, et nul souverain ne sait régner s'il ne se connaît pas lui-même », avait-il déclaré au cours d'une promenade, en se penchant pour ramasser une noisette.

Thibault avait pris cette remarque comme un message personnel. Deux mois plus tard, il appareillait en se donnant pour mission de raffiner la cartographie d'un archipel aux eaux traîtresses, de compiler des données astronomiques relatives à l'hémisphère Sud et de cataloguer des échantillons de minerai.

Les trente-trois membres de son équipage subsistaient maintenant selon une diète de grillons flambés, de riz brun et d'algues marines. Ils avaient vu des choses étonnantes, une flore et une faune invraisemblables, des rituels poignants, des démonstrations de chamanisme et d'étonnantes méthodes médicinales que l'infirmier s'était chargé de documenter. Le géologue, aussi aquarelliste, avait immortalisé des centaines de paysages et d'accoutrements. La cale était pleine de spécimens et d'artefacts, rien n'y pouvait plus tenir, tout juste l'avitaillement, et même Guillaume Lebel, le moins grand de tous, cognait constamment sa tête grise au plafond. La partie immergée de la coque, qu'on appelait les œuvres vives, ne pouvait s'abaisser davantage.

Tout autre que Thibault aurait sans doute écopé d'une mutinerie, après un voyage si long et si risqué, qui ramenait si peu de trésors monnayables. Mais il mangeait avec ses hommes et partageait leurs tâches. Il les écoutait, riait de leurs blagues et les payait bien. Il ajoutait même souvent aux bonnes pièces sonnantes un peu de ces grains de poivre qui valaient une fortune. Bien sûr, il possédait de la vaisselle en argent plutôt qu'en bois, un canif au manche d'ivoire plutôt que de corne de chèvre, mais on aurait dit que son statut princier ne l'intéressait pas, et les hommes l'en respectaient davantage.

Après dix-sept mois de mer, ils étaient enfin sur la route du retour. Thibault entendait tenir le large le plus longtemps possible. Ainsi, il ne serait pas tenu d'accoster à tout bout de champ pour rendre hommage aux souverains des Territoires Nordiques. Il avait les réceptions en horreur. Seules quatre escales diplomatiques resteraient inévitables. Il les avait ignorées lors d'une expédition précédente, et Albéric avait failli ne pas le laisser repartir. Les quatre royaumes se succédaient, le long d'une même côte, comme les perles d'un collier : Vergeray, Louvres, Tourniev, Virage. À partir de Virage, ils reprendraient le large et remonteraient vers le nord jusqu'à Pierre d'Angle.

Il leur manquait encore une soixantaine de jours jusqu'au port de Vergeray. C'est pourquoi Thibault planifiait d'accoster à Khyriol. Il ne restait à bord que des biscuits si durs qu'il fallait les briser d'un coup de coude ou de massue. L'eau douce grouillait de vers gros comme les doigts d'Ovide, le tonnelier. Et puis l'équipage avait bien mérité de se dégourdir les jambes. Pendant des semaines, l'horizon bleu d'une mer plate n'avait été interrompu que par une poignée de pluies aussi soudaines que violentes. Un peu de terre ferme ne ferait de tort à personne.

L'amiral désapprouvait grandement cette décision. Il fallait de l'humour pour apprécier Khyriol, et il en manquait terriblement. La veille de l'escale, comme tous les mercredis soir, il avait affronté Thibault aux échecs. Les parties d'échecs, pénibles à l'un comme à l'autre, résultaient d'un ordre du roi Albéric, qui comptait sur Dorec pour s'assurer que Thibault « garde bien la tête en place ». L'amiral était aussi mauvais joueur que mauvais perdant et, ce soir-là, il s'était montré plus grincheux que jamais.

« Il faudra bien que quelqu'un reste à bord, sire, répétait-il entre chaque mouvement. J'ai vu des bateaux se faire plumer à Khyriol. Il faudra bien que quelqu'un monte la garde pendant l'avitaillement, mon prince. »

« Concentrez-vous, amiral. C'est à votre tour de jouer. »

« Que quelqu'un surveille la grande voile, sire », continuait obstinément Dorec en bougeant distraitement un pion. « Le hunier, le tourmentin, la trinquette. Le gréement. »

« Je vous rapporterai un souvenir », avait promis Thibault pour l'amadouer, alors qu'il s'apprêtait encore à faire échec et mat.

Il ignorait qu'il rapporterait de Khyriol bien plus qu'un souvenir. De fait, l'amiral Dorec n'était pas au bout de ses peines.

***

À l'aube du lendemain, le prince ouvrit les yeux sur une étrange expérience. Incapable de dire où il se trouvait, il voyait chaque objet irradier une lumière qui semblait venir de l'intérieur. Les cahiers, les carreaux de la lanterne, le coffre de cèdre, les gros clous de la porte, la boucle d'un ceinturon, les boutons du caban pendu à un crochet, tout avait la transparence du cristal. Quelque chose lui serrait le cœur, une forme de bonheur si intense qu'il en était presque douloureux.

Thibault se leva sur un coude et se gratta la nuque. Il n'avait jamais rien vu de plus féerique que cette cabine dans laquelle il venait pourtant de passer dix-sept mois. Mais, dès qu'il secoua la tête, l'effet se dissipa. Tout redevint normal, opaque, compact, ordinaire. Le velours des coussins était usé, la trame mise à nue par endroits. Le vernis de la table était plus pâle là où il appuyait toujours le coude, le caban était taché d'huile, et le cadre arrondi de la porte un peu trop bas pour lui. Il conclut que ce phénomène insolite n'était que le prolongement de son rêve, et il le mit de côté. Khyriol était en vue, il avait hâte d'accoster.

Il s'agissait d'une île curieuse à la réputation douteuse. Son microclimat, ses nourritures étonnantes, les couleurs vives des vêtements et des banderoles contrastaient avec des dédales suspects, une criminalité élevée et un commerce inéquitable. Bref, il s'agissait d'un repaire de pirates, mais on ne trouvait nulle part ailleurs de mangues plus juteuses. Thibault voulait y descendre par curiosité et ses hommes, eux, par esprit d'aventure. Plusieurs étaient même d'avance passés à l'infirmerie, où le chirurgien faisait aussi office de barbier. Ils espéraient débarquer en beauté, mais comme Louis s'acquittait de ses deux fonctions avec les mêmes instruments, les résultats dépendaient beaucoup du hasard.

Une fois à terre, ni le prince ni ses hommes ne furent déçus. Le port vibrait d'activités. Le long des ruelles qui escaladaient la colline, les maisons multicolores étaient juchées les unes par-dessus les autres, un peu n'importe comment. Certaines montées étaient si abruptes que la rue se transformait en escalier, et si étroites qu'il n'y passait qu'un seul homme. Au sommet s'ouvrait une place octogonale aux odeurs mêlées de rôti, de pain frais et de caramel, au sol dérangé par les racines de platanes bicentenaires décorés de lanternes en papier. L'espace s'encombrait de jongleurs, de marionnettistes, de maraîchers, de vendeurs de breloques, de diseuses de bonne aventure. Dans ce grand désordre bariolé, rempli d'éclats de voix, tout semblait léger et joyeux.

Thibault se félicita de pouvoir offrir à son équipage un divertissement si mérité. Il marchait en compagnie du cuisinier, du chirurgien et des deux timoniers, Félix et André, des frères aussi dissemblables que possible. Chez eux, on se passait la timonerie de père en fils et on portait le métier au rang d'un art. André était trapu et musclé, le visage rond, l'œil vif, les jambes arquées, avec un goût prononcé pour le jeu et les femmes. Félix, un véritable géant, rêvait depuis l'enfance d'être une fille, et chaque escale lui procurait des moments d'extase esthétique. Il s'intéressait en particulier aux parures exotiques et aux soins de la peau. Il se distinguait par sa force physique phénoménale et par son indépendance d'esprit. Il se faisait de longues tresses, portait un foulard fleuri au cou et, à la différence des autres marins, changeait de chemise chaque semaine. S'il devait repriser un filet, il en faisait un travail de crochet. Pourtant, malgré ses penchants raffinés, il restait le seul capable de hisser un tonneau plein sur ses épaules, de rompre un câble à mains nues et de rentrer des escales nocturnes avec un marin ivre sous chaque bras.

Ce matin-là, à Khyriol, Félix aurait bien voulu attirer ses camarades du côté d'un atelier de couture. Il n'osa pas. Le cuisinier avait passé la dernière semaine à leur rabâcher les oreilles avec le fameux ragoût de l'île, et ils se dirigeaient vers une cantine dont on leur avait dit du bien. Le cuisinier s'en léchait littéralement les babines. C'est sa gourmandise qui lui avait fait choisir son métier. De son propre aveu, et de l'avis de tous, elle demeurait son seul véritable talent.

En route, ils passèrent devant les tables basses de trois écrivains publics. Une femme à la longue chevelure épaisse et aux doigts tachés d'encre était penchée avec attention sur la lettre que lui dictait une vieille dame en serrant sa sacoche contre sa poitrine. À ses côtés, un homme gras au visage ennuyé, un petit singe vert sur l'épaule, discutait d'un ton impatient avec son client, un paysan aux mains noueuses et à l'air désemparé. Le troisième écrivain, un religieux en robe noire, le nez chaussé de lunettes rondes, se grattait le menton en cherchant le mot juste pour une poésie de sa composition.

Alors qu'ils s'approchaient, Thibault remarqua que l'homme gras, d'un léger mouvement d'épaule, faisait dégringoler son singe. L'animal disparut précipitamment sous la table, si bien que seule en dépassait la queue. De là où il était, Thibault vit ressurgir ses deux pattes minuscules, affairées à ouvrir la bourse qui pendait à la ceinture du paysan. Il pressa le pas et marcha, l'air de rien, sur la longue queue verte du singe. Il en sentit craquer l'épaisseur molle sous le talon de sa botte. Dans un couinement de douleur, l'animal se réfugia sur les genoux de son maître, qui leva des yeux outrés. Mais Thibault, le dos tourné, poussait déjà innocemment la porte de la fameuse cantine.

Dans la cantine, une partie de cartes particulièrement chaude battait son plein. Pendant que ses hommes se faisaient remplir des bols gigantesques de ragoût bouillant, Thibault remarqua un joueur qui tirait de sa tunique un as de trèfle. Il bouscula immédiatement le chirurgien de manière à ce que son ragoût se renverse sur le tricheur. La table se couvrit d'éclats de pattes de porc, et les joueurs se mirent à rugir. Thibault poussa le chirurgien devant lui et quitta précipitamment la cantine. Dans la bagarre qui s'ensuivit, le cuisinier dut abandonner le plat qu'il n'avait même pas entamé. Il allait s'en plaindre pendant des mois.

La journée fut tissée d'incidents de ce genre. Bien sûr, il y avait les prestidigitateurs, les fontaines de chocolat, les rhododendrons surchargés de fleurs, les fruits plus exotiques les uns que les autres. Mais Thibault ne voyait plus que les tricheurs, les voleurs, les menteurs, les agresseurs. Il ne cessa pas un moment de se mêler des affaires des autres. Il fit semblant d'attacher son lacet en s'agenouillant sur la pièce d'or qu'un gamin venait de faire glisser des mains d'un autre. Il saisit une saucisse sur un étal et la lança au chien enragé qu'une femme lançait à la poursuite d'une autre. C'était plus fort que lui.

Dans une ville où les petits larcins étaient le gagne-pain le mieux assuré, Thibault se fit en quelques heures plus d'ennemis que les criminels eux-mêmes. Il était grand et plutôt blond. Il ne pouvait passer inaperçu dans cette ville métissée, aux têtes foncées, aux tailles basses. Les marins se mirent à jeter des regards inquiets par-dessus leurs épaules, à distraire le prince de leur mieux et à chercher des excuses pour retourner à bord.

Au moment où Thibault s'interposa dans une bataille de rue, ils n'y tinrent plus. « Sauf votre respect, sire », gronda Félix en le prenant aux épaules pour l'entraîner vers le port. Des voix criaient derrière eux, des pas lourds résonnaient. Les bandes opposées s'alliaient pour les poursuivre, et le chirurgien, déjà taché de ragoût, reçut une tomate en plein visage. Ils coururent à perdre haleine et se ruèrent à bord de l'*Isabelle* au beau milieu du chargement de marchandises.

On n'avait même pas terminé de renflouer la réserve d'eau potable. Le cuisinier, les timoniers et le chirurgien supplièrent le prince de rester dans le carré. Ils avertirent l'amiral de la situation, puis s'éparpillèrent à travers la ville pour rassembler d'urgence les marins occupés à festoyer.

Thibault s'affaissa sur sa chaise d'ébène sertie de nacre et regarda autour de lui comme pour s'assurer que tout était encore en place. Le carré était un espace adjacent à la cabine princière, réservé à la planification du parcours et aux entretiens privés. Sur la longue table, flanquée de deux banquettes, des instruments de navigation voisinaient des cartes maritimes et une magnifique rose des vents. Dans l'armoire vitrée, des carnets de bord s'appuyaient contre un bidon d'huile de baleine, des verres en étain, une réserve de chandelles et une horloge qui avait cessé de tenir l'heure à cause du sable coincé dans son mécanisme. Trois sabliers la remplaçaient, fixés au mur, juste à côté du baromètre qui annonçait encore du beau temps.

« Vous voilà bien essoufflé, sire », remarqua l'amiral d'un ton tranchant.

« C'est que cette île est exigeante, Dorec. Elle porte son envers et son endroit du même côté. »

« Cette île est vilaine, mon prince. C'est tout ce qu'on peut en dire. Jamais Pierre d'Angle ne s'abaisserait à de telles coutumes. »

« Je vous l'accorde. Appareillons ce soir. »

« Ce soir ? Mais vous n'y pensez pas, sire. Pas une seule petite ride sur l'eau. Pas plus de vent qu'un pet de mouche. Pet de sangsue, peut-être. De pou. De… »

Il fut interrompu par le second qui passait sa tête par la porte entrebâillée.

« Tout le monde est paré. Nous levons l'ancre immédiatement. »

« Mais… » protesta l'amiral, qui acceptait mal qu'un tel ordre sorte de la bouche de son subordonné.

« Le prince a la ville à ses trousses », expliqua Guillaume Lebel en désignant les quais.

À travers les petits losanges qui composaient la fenêtre, on voyait accourir deux fois plus d'hommes qu'il y avait de marins à bord, l'air agressif et enjoué, fin prêts pour le saccage. L'amiral se rua hors du carré en criant : « Levons l'ancre ! Immédiatement ! », pour constater que les ordres de Guillaume avaient déjà bel et bien mis les hommes à l'ouvrage.

Le départ fut ardu. Ovide, le tonnelier qui ne touchait jamais rien sans y faire un nœud, hurlait qu'il n'avait pas fixé les marchandises. Il ne voulait rien savoir de partir sans avoir rangé les barriques d'eau, les tonneaux d'huile et de vinaigre dans les ballasts pour stabiliser le navire. Les autres avaient bu et mangé en quantité déraisonnable. Ils titubaient de bâbord à tribord, chantaient faux, tripotaient les câbles sans trop savoir qu'en faire. Un gabier tomba dans l'entrepont par les écoutilles et se cassa le poignet. L'*Isabelle* dut louvoyer pour simuler la brise inexistante. Par des manœuvres exténuantes, elle s'éloigna vers l'horizon à grands zigzags, comme si elle était ivre elle-même.

À minuit, enfin parvenu au large, le navire gagna de l'allure. Les quelques marins sobres furent affectés au quart de nuit. Les autres descendirent ronfler dans l'entrepont, sans prendre la peine de décrocher les hamacs de la bordaille ni de se faire un oreiller en bourrant un manteau.

Nul ne remarqua le passager clandestin.

Chapitre II

Le prince se réveilla aux coups frappés à la porte de sa cabine, nets et brefs, ininterrompus. Il reconnut le style de l'amiral et ouvrit.

« Sire, fit Dorec d'un ton embarrassé, il semble qu'un inconvénient se soit produit. »

« Un inconvénient ? »

« Il semble qu'un indésirable se soit glissé à bord, mon prince. »

L'amiral, contrairement à son habitude, gardait l'œil fixé aux poutres du plafond, comme s'il n'osait pas regarder son prince en face.

« Un indésirable ? Expliquez-vous, Dorec. Un espion ? Un corsaire ? Une contagion ? Encore les pous ? La vermine ? »

« Une femme, sire. »

« Pardon ? »

« Nous avons cru tout d'abord qu'il s'agissait d'un garçon, mais il s'agit bien de… euh… d'une femme, sire. »

Dorec avait toujours les yeux rivés au plafond. Thibault gratta ses cheveux hirsutes.

« Et comment est-elle montée à bord ? »

« Il semble qu'elle ait nagé, sire, puis qu'elle se soit hissée sur le cordage, disons, pendant. »

« Que voulez-vous dire, *pendant* ? Enfin, regardez-moi, Dorec ! Qui a laissé les cordages pendants ? »

« Je l'ignore, mon prince, hésita l'amiral en le regardant, tout juste une fraction de seconde. Il semble que, dans notre départ pour le moins disgracieux, nous ayons laissé en place le câble du mât de charge. Nous étions en plein avitaillement, sire, il faut bien le dire. »

« Bon. »

« Pardon, sire ? »

« Bon. Qui est-elle ? Que veut-elle ? L'a-t-on questionnée ? »

« Elle ne répond pas, sire. Elle ne comprend pas notre langue. Toutefois, nous avons trouvé ceci. »

L'amiral, avec dédain, laissa tomber une vieille pochette de suède dans la paume du prince. Elle contenait des pièces de monnaie provenant de trois royaumes différents, dont Khyriol, ainsi qu'un médaillon avec l'image minuscule d'une fillette à l'air défiant. Thibault haussa les épaules.

« Qu'on me l'amène. »

On lui amena une jeune Métisse aux cheveux longs, aux grands yeux verts. Ses vêtements de garçon, encore humides, pendaient sur son corps maigre comme sur une corde à linge. Contrairement à l'amiral, elle ne se gênait pas pour dévisager Thibault pendant qu'il l'observait lui-même. Son expression était assurée, son front haut et rond, son regard direct, témoignant d'une franchise embarrassante. Thibault pensa sans raison aux objets de cristal.

« Qui es-tu ? » demanda-t-il.

« Je m'appelle Ema Beatriz Ejea Casarei », répondit-elle sans hésiter.

Thibault jeta un regard à l'amiral. Celui-ci serra les lèvres et croisa les bras. Il était grandement irrité que l'étrangère le contredise en se mettant à parler.

« Où as-tu appris notre langue ? s'enquit le prince. Ton accent m'est étranger. »

« Je comprends sept langues. J'en parle trois assez bien, quatre plutôt mal. »

« Tu n'as pas répondu à ma question. »

« Non. »

Thibault n'insista pas. Il avait pour principe que les vraies confidences sont toujours volontaires. C'était là, bien sûr, le luxe d'un homme honnête provenant d'un royaume juste.

« Pourquoi es-tu sur ce navire ? »

« Je cherche du travail. »

« Tu as déjà travaillé en mer ? »

L'amiral s'insurgea :

« Prince ! Vous voulez l'amariner ? Mais vous n'y pensez pas ! Mais… »

« J'apprends vite », coupa la fille.

« Je n'en doute pas », fit Thibault, et l'amiral pinça les lèvres.

« Tu fuis quelque chose ? »

« Je fuis une ville où seuls les menteurs ont de quoi manger. »

« Hmm. Et qu'est-ce qui te dit que notre compagnie est meilleure ? »

« Une queue de singe me l'a dit. On m'a aussi parlé d'un ragoût. »

« Une queue de… ? »

Thibault s'interrompit. Il hésita un instant.

« Montre-moi tes mains. »

Elle ouvrit ses paumes écorchées par la corde avec laquelle elle s'était hissée à bord. Ses doigts étaient tachés d'encre.

« Il me semblait bien t'avoir vue quelque part, murmura Thibault. L'amiral va te confier à son second. »

« Sire, je m'insurge ! » s'écria l'amiral. Ses yeux bougeaient de droite à gauche. Paniqué, il cherchait d'avance un moyen de cacher cette affaire au roi Albéric.

« Et pourquoi ? »

« Mais, mon prince, vous savez bien que les marins sont superstitieux ! Une femme à bord, c'est la malchance en pleine mer ! »

« Pour la même raison, ils se laissent pousser la barbe jusqu'à terre. Vous trouvez ça raisonnable, amiral ? »

« Raisonnable, non, sire, mais il faut bien contenter les hommes si on veut que le navire navigue. »

« Eh bien, qu'ils fassent semblant qu'il s'agit d'un garçon. »

« Faire semblant, faire semblant… Facile à dire, comme ça, sire… »

« Soupesez nos options, amiral. Ou nous retournons à Khyriol nous faire étriper, ou nous la jetons à la mer. Sincèrement… »

L'amiral ne répondait pas. Les bras toujours croisés, il s'était remis à fixer le plafond. De toutes les situations dans lesquelles l'avait plongé le prince, celle-là était bien l'une des plus épineuses. Thibault se tourna vers l'étrangère.

« Tu peux travailler comme un garçon ? »

« Oui. »

« Bien. Amiral, qu'on l'attable avec les autres, qu'on lui donne des vêtements secs, qu'on lui trouve un hamac. Qu'on grave ses initiales sur un boc et sur une écuelle. Qu'on l'amarine. »

« Mais… »

« Respirez, Dorec. Et faites passer le mot : quiconque embête le nouveau mousse passe par-dessus le bastingage. »

***

Tout le jour, Thibault observa Ema de loin. Les vêtements qu'on avait trouvés pour elle battaient dans le suroît comme une voile trop lâche. Les culottes de marin, coupées à mi-mollet, laissaient voir des bleus et des égratignures. Contrairement à toute attente, elle ne souffrait pas du mal de mer. André la mena même jusqu'à la vigie, en haut du grand mât, d'où elle scruta longtemps l'horizon avec la lunette, se délectant sans doute de la disparition de Khyriol.

Elle écoutait les instructions qu'on lui donnait en hochant la tête et s'exécutait avec une obéissance d'écolière. Il y avait une certaine lenteur dans ses gestes, une forme féline de précision. Les hommes bombaient le torse à qui mieux mieux. Même les matelots prenaient un air important pour lui parler. Dorec prétexta une migraine et s'enferma dans sa cabine. Il boudait.

Le soir, comme chaque fois qu'il était embêté, Thibault se mit à faire les cent pas dans l'espace restreint du carré. L'amiral avait raison : la passagère représentait un gros risque. Déjà, en début de voyage, Félix le timonier avait failli y passer. Malgré son physique incomparable et son sens inné de la mer, sa féminité lui avait attiré les sarcasmes et la méfiance des autres pendant de longs mois. Même André, son propre frère, avait cessé de le défendre, de peur d'être lui-même mis de côté. Mais un jour, dans un marais où la chaloupe de sauvetage s'était embourbée, Félix avait fini par étrangler un crocodile à mains nues. Personne, depuis, n'avait fait allusion aux rubans dont il ornait ses tresses, ni à son bracelet de coquillages, ni aux fioritures gravées dans sa vaisselle. On lui demandait même conseil à tout propos et on faisait équipe avec lui pour jouer aux dés.

Somme toute, la jeune Métisse avait l'air débrouillarde. Il faudrait compter sur son bon sens. Au pire, on la ferait descendre à Vergeray. On ne pouvait quand même pas la jeter aux requins. Et puis, nul ne s'embarque clandestinement pour le plaisir de la croisière. Si elle s'était risquée à bord, c'est qu'elle n'avait pas le choix.

Thibault retourna longuement le médaillon entre ses doigts. Il l'ouvrait sur l'air têtu de la fillette, le refermait, l'ouvrait de nouveau. Il décida qu'il n'avait aucune raison de conserver ces effets personnels et demanda qu'on envoie Ema les reprendre.

Le poing léger, elle frappa à la porte du carré.

« Entre moussaillon ! »

Elle entra, radieuse, comme si elle venait de passer une journée de vacances à la campagne.

« Sire », fit-elle en s'inclinant avec respect. « Vous désiriez me voir. »

De toute évidence, on lui avait donné des leçons de bienséance.

« Je voulais te rendre tes affaires. »

Il l'aurait bien invitée à s'asseoir, mais s'abstint : il s'était toujours fait un honneur d'observer les mêmes règles que ses hommes et n'avait pas envie de finir par-dessus bord. Il lui parla plutôt de l'autre bout de la grande table.

« Je peux te poser une question ? »

« Bien sûr, sire. » Son ton était calme, presque gai. Elle avait déjà laissé la dureté de Khyriol derrière elle.

« Qui est l'enfant du médaillon ? »

« Ma sœur, sire. Ma petite sœur. »

« Est-elle vivante ? »

« Je l'espère, sire. »

« Et vos parents ? »

« Nos parents sont morts, sire. Ma sœur est ma seule famille. »

« De quel pays venez-vous ? »

« Comme vous le savez, sire, je me suis embarquée à Khyriol. »

« Tu n'as pas répondu à ma question. »

« Non, sire. »

« Bon, passons. Qu'est-il arrivé à ta sœur ? »

« Enlevée, sire. Des hommes l'ont enlevée. »

« Où l'ont-ils emmenée ? »

« Dans un pays du nord, sire. »

« Lequel ? »

« Je l'ignore, sire. »

« Nous allons vers le nord, tu sais. »

« Je sais, sire. »

« Dans les pays du nord, les Métisses ne passent pas inaperçus. Il serait assez facile de la retrouver… »

« Je ne désire rien de plus au monde, sire. »

Thibault voyait déjà là le motif d'une nouvelle aventure et l'occasion de donner un sens véritable aux quatre pénibles escales. Il interrogerait les gens les mieux informés. Plus il retournait l'idée dans sa tête, meilleure elle lui semblait.

« Que sais-tu du pays où elle se trouve ? »

« Bien peu, sire. Je sais que c'est un pays où on parle votre langue, sire. »

« Un pays des Territoires Nordiques. C'est un début. »

« Je sais qu'on y construit des navires de grande qualité, sire. »

« Bon. Ça exclut tous les Territoires de l'intérieur. Et aussi le royaume des Grèves. Ses goélettes sont vouées au naufrage. »

Thibault déploya une grande carte maritime. Il l'étudia un moment en se grattant la nuque.

« Rien d'autre ? » demanda-t-il.

« Non, sire. »

« Et tu es vraiment certaine qu'ils l'ont emmenée au nord ? »

« Certaine, sire. »

Ema posa une main sur son cœur, ce qui acheva de le convaincre. Cependant, ce geste fit glisser la manche de sa chemise, dévoilant, autour de son poignet, d'étranges marques foncées. Le prince fronça les sourcils et ouvrit la bouche sur une autre question, qu'il retint.

« Il y a encore beaucoup de mer jusqu'à l'entrée des Territoires, dit-il plutôt. Deux mois, au mieux, peut-être plus. »

Elle approuva de la tête.

« Bon. Va te reposer. »

Elle s'inclina et sortit. Il entendit ses pas résonner sur les marches de bois, puis sur le pont. Il mit du temps à s'endormir.

CHAPITRE III

Un navire est un univers dans lequel chacun connaît sa place et son rôle, même les gobelets et les poulies. Sur l'*Isabelle*, les seconds-maîtres timoniers répondaient aux premiers-maîtres, les matelots à tout le monde, et tout le monde à l'amiral. Les gabiers répondaient au doigt et à l'œil au chef de hune chargé de leur quart. Les quarts s'alternaient toutes les quatre heures, au son d'une grosse cloche qui faisait instantanément apparaître une équipe et disparaître une autre. La même cloche les appelait tous au repas du soir. C'était le seul moment qui rassemblait l'équipage en entier, autour d'une table massive, fixée au sol avec des clous gros comme des pieux.

En tout, le confort laissait à désirer. Les plafonds étaient trop bas, les marches trop raides, les hamacs humides, l'entrepont rempli par l'odeur des algues, des aisselles et du poisson fileté. La vie était dure, fatigante, terrifiante par moments. S'il faisait chaud, il faisait trop chaud ; s'il faisait froid, il faisait trop froid. Le beau temps n'était jamais qu'un sursis jusqu'à la prochaine tempête.

Pourtant, les marins trouvaient rassurante la familiarité du navire, un peu comme on s'attache à une vieille chaussette de laine.

Lorsque l'amiral devait remonter le moral des hommes et fournir un sens à leur travail, il comparait l'*Isabelle* à un corps humain. La tête, avec les fonctions de commande et de décision, on la trouvait en hauteur, du côté de la barre, des cabines et du carré. La cage thoracique, avec ses fonctions cardiaques et respiratoires, au niveau du pont principal, duquel surgissaient les mâts, le gréement, la voilure. Les organes du système digestif, assurant la bonne marche de l'ensemble par un travail d'équipe constant, au niveau de l'entrepont où logeaient les hommes. La force de gravité qui nous retient à la planète, l'amiral la comparait à la cave et aux ballasts dont le poids bien réparti permettait au navire d'exercer une pression idéale sur l'incommensurable volume de la mer. L'amiral omettait chaque fois de faire mention du système reproductif, et il y avait toujours quelqu'un pour le lui rappeler. Ce qui les divertissait alors vraiment, c'était de le voir rougir, l'air coincé, en pinçant les lèvres.

Personne, cependant, ne trouvait à redire sur ses compétences. L'amiral excellait à maintenir le navire dans la voile du temps, ni surtoilé, ni sous-toilé. Il orchestrait à merveille les virements de bord. Ema observait tout avec attention. Elle aimait voir les équipiers se régler sur le timonier, le timonier sur les ordres de l'amiral, chaque homme concentré sur ses actions comme s'il en allait de son propre destin. Elle aimait les entendre chanter pour tenir le rythme, un chœur enthousiaste aux paroles douteuses.

Les semaines passaient, des semaines de soleil harassant, de vents changeants, de mer infiniment langoureuse. Les métaphores de l'amiral ne modifiaient en rien le fait que les journées duraient des siècles. Les gars les passaient affalés sur le pont principal, à jouer aux dominos, aux cartes, aux dés, aux dames.

Le navigateur en profitait pour perfectionner l'éducation du mousse. Georges Delorme, une échalote, avait menti sur son âge pour pouvoir s'embarquer. On l'appelait *le gringalet*. Au cours du voyage, il s'était révélé un champion des calculs mathématiques, si bien que le navigateur s'en était fait un second assistant. Lui-même avait laissé à terre un fils du même âge et se le reprochait constamment. Il s'était lié si fort à Georges qu'ils avaient même fini par se ressembler.

À l'insistance des autres, Lucas, l'infirmier, sortait parfois sa guitare en priant pour que ni le géologue ni le buandier ne se mettent à chanter. Le géologue, épris d'opéra, se croyait ténor, mais était plutôt fausset ; le buandier, passionné de chants marins, s'en mêlait à toute gorge. Les fausses notes, mêlées à l'ennui général, dégénéraient en chicanes, et les marins s'engueulaient pour des broutilles, insultaient la mère de l'un, la sœur de l'autre, se traitaient de cocus, de couillons, de pétasses.

Félix, qui se souciait beaucoup des oreilles juvéniles du gringalet, saisissait les adversaires par la peau du cou et les jetait par l'écoutille.

Pour éviter ce genre de passe-temps, Thibault tâchait de meubler les longs après-midi par la pratique des arts martiaux. Il possédait en effet un manuel classique oriental qui l'inspirait beaucoup. Il alignait les hommes en ordre de grandeur sur le pont principal pour faire la démonstration de ses prises sur chacun d'entre eux. Au début du voyage, les marins l'avaient mollement laissé gagner. Mais le manuel répétait que les prises ne fonctionnent que si l'opposant y met de la force, sinon on n'a rien à retourner contre lui. Le prince insistait pour que les hommes combattent et, à la longue, ils y avaient pris goût. Ils s'entraînaient un quart contre l'autre. Ils avaient même placé des paris sur qui serait le premier à mettre Thibault sur le dos. Les favoris étaient Félix le timonier, à cause de sa taille gigantesque, et Ovide le tonnelier, semblable en tout à ses barils.

Malgré les enseignements du manuel, cependant, les hommes continuaient à user de leurs biceps et de leurs abdominaux, sans faire grand cas des mollets, ni des orteils, ni de la respiration. Seul Guillaume Lebel, le second, avait saisi d'emblée la portée de l'exercice. Rien dans son physique ne le distinguait du premier venu, sauf peut-être ses surprenants cheveux gris qu'il gardait courts, comme une lisière d'argent autour de son visage basané; sauf sa voix rauque et veloutée, semblable aux coussins élimés des cabines. Mais en ce qui avait trait aux arts martiaux, son véritable avantage tenait à son sens de l'observation. À force de regarder le prince, il assimila la technique si rapidement que les paris divergèrent en bloc vers lui.

Du coup, le gringalet entrevit la possibilité de se faire valoir lui-même malgré sa stature minable. La chose avait un attrait particulier pour lui, vu qu'il était constamment victime des railleries de Roland, un détestable gabier. Après quelques leçons privées auprès du second, il parvint un jour à neutraliser le buandier, laissant les autres bouche bée. Le navigateur applaudit son protégé avec tant d'entrain que le buandier refusa de lui laver son linge pendant dix jours.

L'amiral n'avait que faire de ces arts martiaux, ni de ces paris, ni de cette langueur. S'il n'en tenait qu'à lui, les hommes se seraient consacrés sans relâche à l'entretien du navire. Plus que tout, il craignait de pénétrer dans les eaux des Territoires Nordiques aux commandes d'un navire moisi.

Les infiltrations d'eau l'obsédaient. Il faisait vider le puisard dès qu'on pouvait y remplir un dé à coudre. Il faisait poser des pinoches dans des fuites imaginaires. Mais son ennemi numéro un restait l'érosion. Toutes les pièces mobiles du navire s'usaient à force de frotter les unes contre les autres. Le sel corrodait le métal. Les coutures des voiles cédaient, leurs coins noircissaient, le soleil dévorait leurs fibres de coton. Le cordage s'effilochait et risquait sans cesse de se putréfier ou de se raidir.

Les filets de pêche se relâchaient. Les mâts s'élimaient, se fendaient même à l'occasion. La coque craquelait, menacée par la pourriture.

L'amiral haranguait donc les quarts de jour pour coudre, frotter, récurer, repeindre, vernir, goudronner et, aussi, assurer les tâches quotidiennes, pareilles à celles d'une maisonnée : savonner et rincer les ponts, cuisiner et nettoyer la vaisselle, laver et repriser les vêtements, ranger bien à sa place tout ce qui pouvait entraver les mouvements ou tomber à la mer. Sous ses ordres, les gars avaient tout de la bonne ménagère.

La plupart se chamaillaient pour qu'Ema fasse équipe avec eux. Georges le gringalet fut d'abord chargé de lui faire balayer le pont principal, éplucher les patates, faire son thé à l'amiral. On la greffa ensuite aux matelots qui lui montrèrent comment coudre des videlles dans les voiles écorchées, faire sécher la toile en surplus, calfater les joints et les interstices en y enfonçant, à l'aide d'un maillet, des fibres de cordage mêlées à du goudron. Ovide le tonnelier l'initia à la science des nœuds, qu'il faisait avec une agilité surprenante, vu ses grosses mains dodues. Les hommes convainquirent l'amiral de lui éviter la buanderie, de peur qu'elle ne s'offense. C'est pourtant le buandier qui s'offusqua, si bien qu'elle finit par passer plusieurs jours à laver des culottes.

Son amarinage était déjà chose du passé. Elle apprenait vite, sans jamais rechigner. Par contre, elle dormait mal : les hommes ronflaient, l'entrepont était torride, encombré, insalubre. Plus d'une fois elle dut sortir en pleine nuit en quête d'une bouffée d'air. Elle finit par prendre l'habitude de dormir sur la dunette. S'il pleuvait, elle optait plutôt pour le gaillard d'avant, un espace de rangement pour tout ce qu'on devait garder à portée de la main. Elle se nichait entre les réserves de toile, les poulies, les outils de charpenterie, les filets de pêche, les harpons, les palans, les seaux. Le quart de nuit la surprenait, enroulée comme un chat dans un panier de cordage, et se disait qu'au fond, ce n'était pas une si mauvaise idée.

Parfois, cependant, elle demandait à travailler de nuit. Tout était bleu, alors, les hommes et leur bateau, la mer, le ciel. Si la lune se cachait derrière une voile, la lumière semblait venir de la surface de l'eau. Il faisait aussi chaud qu'en plein jour et ils allaient nu-pieds. Mais ils parlaient moins, ils blaguaient peu, tout bougeait au ralenti. Elle aimait ces moments paisibles qui lui prouvaient qu'elle avait bien quitté l'agitation fébrile de Khyriol, et qui lui permettaient d'entrevoir un avenir moins cruel que le passé.

Si la plupart des journées étaient ennuyantes de soleil, ce n'était pourtant pas toujours le cas. Le climat des tropiques, aussi extrême qu'imprévisible, passait sans avertir du calme le plus plat à la pluie torrentielle. Les hommes en avaient vu d'autres. Tout au plus, ils haussaient les épaules. Ils firent cependant face à deux tempêtes d'importance. La première, un grain violent que personne ne vit venir, faillit faire passer le gringalet par-dessus bord. Les voiles claquaient dans tous les sens, le grand foc se déchira. Il fallut deux quarts mis ensemble pour sauver le reste des voiles. André s'attacha à l'appui-fesses pour tenir la barre, et le cuisinier, pourtant reconnu pour son estomac d'acier, vomit dans sa meilleure casserole.

La seconde tempête dura trois jours et trois nuits, pendant lesquels chacun douta de sa survie. Celle-là, ils l'avaient bien vue se former à l'avance. Un morceau de ciel gris s'en était allié d'autres jusqu'à ce que l'ouest se transforme en un rideau noir strié d'éclairs. Les hommes s'étaient empiffrés de biscuits et de riz froid pour se remplir l'estomac. Comme les ballasts gardaient le navire en équilibre, ils savaient qu'un estomac bien calé ne pouvait pas se renverser. Une heure plus tard, la mer s'était métamorphosée en paysage alpin, fait de cimes blanches et de falaises obscures. Des vagues trois fois plus hautes que le grand mât couraient à leur rencontre. L'*Isabelle* se juchait sur leur crête et redescendait dans leurs creux à une vitesse vertigineuse.

Parfois les rouleaux repliés sur eux-mêmes formaient un tunnel dans lequel le navire s'avançait, sans raison valable d'espérer en sortir. Il en émergeait pourtant de façon miraculeuse. La coque grinçait comme si elle allait se refermer sur elle-même, les lampes se fracassaient contre les cloisons, le renard blanc disparaissait jusqu'aux oreilles dans l'écume épaisse. Les rafales étaient assourdissantes. Le jour ne se distinguait plus de la nuit. Seuls les éclairs fournissaient, pour une fraction de seconde, une vision nette des ponts inondés, des câbles emmêlés, des marins silencieux et de leurs chapeaux aux larges bords qui coulaient comme des gouttières. L'autorité de l'amiral demeurait sans faille. Guillaume Lebel, imperturbable, s'activait sans cesse. Sa voix reconnaissable était seule à se faire entendre par-dessus le fracas des vagues.

Le teint verdâtre, les hommes se donnaient le relais pour pomper l'eau de la cale et pour écoper celle du pont. Ils ne mangeaient que des poignées de riz froid et reposaient sans dormir sur le sol de l'entrepont, serrés l'un contre l'autre pour ne pas rouler dans un coin. Ce n'était pas la première fois que leur dernière heure était venue. Ils prenaient leur mal en patience. Par superstition, ils effleuraient tout de même de temps en temps la petite tête de chèvre sculptée sur l'escalier de la dunette. Elle leur servait d'amulette et ses cornes étaient usées par les doigts rugueux.

Le quatrième matin, l'*Isabelle* s'encalmina aussi subitement qu'elle avait été livrée à la houle. Sous un soleil de plomb et un ciel d'azur, sans le moindre souffle pour tendre la voile, l'amiral se prit à maudire le climat des tropiques, qu'il trouvait « aussi volage que les gens de Khyriol ».

Le navigateur tenta de prendre ses repères en fonction du soleil. Pour obtenir une longitude et une latitude précises, il lui fallait savoir exactement quelle heure il était, mais les sabliers avaient été négligés pendant le gros de la tempête et deux d'entre eux s'étaient carrément brisés. Quant à son horloge solaire de poche, elle avait quitté sa poche sans y revenir. Il n'aboutit donc qu'à une vague approximation, plutôt embarrassante : « Nous sommes loin de tout. »

L'amiral allait l'engueuler lorsqu'un gabier juché dans la grande hune aperçut quelque chose. La surface aveuglante de l'eau se brouillait comme un mirage, et il crut d'abord qu'il s'agissait d'un écueil. Il plissa les yeux, la main en visière, et se ravisa.

« Navire en vue ! » cria-t-il.

« Navire en vue… Qu'est-ce qu'on fait, amiral ? » demanda Thibault.

« Qu'est-ce qu'on fait, mon prince ? Pas même un pet de mouche, un pet de sang… »

« C'est une zone de pirates, mon prince, à ce qu'il paraît… » intervint un chef de hune.

« Une zone de pirates ? Mais qu'est-ce que tu en sais, toi ? l'engueula l'amiral. Tu sais aussi d'où il vient, ce rafiot, du même coup ? Et puis tu sais où nous sommes, tant qu'à y être ? Parce que ça serait utile, oui, ça serait utile ! »

Sa tension post-tempête sautait toujours sur le premier venu.

« Ben… amiral. C'est le cuisinier qui me l'a dit. »

« Le cuisinier ! hurla presque l'amiral. Mais qu'est-ce qu'il en sait, lui ? Il sait aussi où nous sommes tant qu'à y être ? Parce que ça serait uti… »

« Tout va bien amiral, restons calme, coupa Thibault. D'autant plus qu'en vous tournant à bâbord, vous remarquerez que le navire dérive vers nous. »

L'amiral risqua un œil à bâbord et remarqua, en effet, que le navire s'approchait imperceptiblement. Thibault monta dans la vigie avec sa lunette, suivi de Marcel, un gabier de misaine.

Ce qu'il vit l'inquiéta : une coque parfaitement décolorée, des voiles déchirées, le gréement lâche, le mât d'artimon fêlé en plein milieu. Aucune trace de mouvement. Il passa la lunette au gabier.

« Qu'est-ce que tu dis de ça, Marcel ? »

« J'en dis que c'est un vaisseau fantôme, mon prince », répondit l'autre, accablé. « Ce sera la faute aux pirates, vous croyez, sire ? »

« Je n'en sais rien. »

Thibault redescendit. Bientôt, tout l'équipage le rejoignit sur le pont principal pour observer l'étrange spectacle. L'*Isabelle* et le vaisseau fantôme s'approchaient lentement l'un de l'autre. Ils distinguèrent la figure de proue, un aigle au bec amputé. Alors qu'au hasard de la dérive ils purent apercevoir la poupe, Guillaume, le second, fut le premier à remarquer quelque chose de troublant.

« Mais il est ancré, ce bateau. Il est ancré… C'est nous qui dérivons vers lui. »

« Ma parole, tu as raison », murmura Thibault. Il observa mieux la corde de l'ancre. Elle dégoulinait, couverte d'algues : le bateau avait passé la tempête à l'ancre.

« Ils se sont ancrés en pleine tourmente », s'étonna un gabier.

« Ils auront voulu s'équilibrer ou ralentir leur course », suggéra l'amiral.

« C'est probable, renchérit Guillaume. Et qui dit que l'ancre touche le fond ? Elle fait peut-être seulement contrepoids. »

« À bien y penser, pourtant, réfléchit l'amiral, cette absence de mouvement ne me dit rien qui vaille. Si l'accalmie ne les a pas remis d'aplomb… »

« C'est qu'il n'y a plus personne à bord, sire », termina Guillaume.

« Ou alors, lâcha Thibault, c'est qu'ils sont tous morts. »

Comme pour illustrer son hypothèse, un nouvel angle de vision leur permit de saisir un horrible détail : un cadavre à moitié décomposé était pendu au hauban, les bras en croix, les jambes écartées. Il était tout noir, de peau et de vêtements, comme si on l'avait trempé dans un baril de goudron. Seule une partie de son crâne et de ses dents apparaissait, jaune pâle, là où la tempête l'avait érodé.

« Mais qu'est-ce que c'est que ça ? » s'exclama Thibault.

« C'est un avertissement, sire », fit Ema derrière lui.

Tous les marins se tournèrent vers elle.

« Un avertissement ? » s'étonna l'amiral.

« La peste », répondit posément Ema.

« La peste ? » répéta Guillaume.

« C'est la peste jaune, expliqua Ema. On trempe les cadavres dans le goudron pour ne pas répandre l'épidémie. Je l'ai vu faire de mes propres yeux. »

« Récemment ? » s'inquiéta l'amiral, soudain convaincu que la Métisse cachait des bulbes sous sa chemise.

« J'avais encore mes dents de lait, amiral, le rassura Ema. J'ai même vu un homme être goudronné avant d'avoir rendu l'âme, dans toute cette panique. »

« N'importe quoi. Ensuite on les suspend dans les airs comme talisman, tant qu'à y être, je suppose ? » se moqua le chirurgien. Louis était encore échaudé par les découvertes troublantes qu'ils avaient faites aux tropiques à propos de la médecine indigène. Une chirurgie cardiaque pratiquée par un guérisseur sans même ouvrir la cage thoracique du patient l'avait laissé en état de choc. Il avait vu, de ses propres yeux, la main du chamane pénétrer dans la poitrine comme si la matière s'écartait devant elle, en retirer le cœur encore battant, puis le remettre à sa place. En réaction, il avait fait le vœu solennel de dénigrer toute médecine tribale.

« Mais non, Louis », soupira Thibault que la même chirurgie avait comblé d'optimisme sur le potentiel de l'humanité. « On accroche les cadavres aux haubans quand il n'y a plus d'espoir. Pour dire aux autres navires de ne pas s'approcher. »

« Un avertissement, en d'autres termes », ironisa l'infirmier, qui, plus que tout autre, déplorait l'étroitesse d'esprit du chirurgien.

Le fait est que l'*Isabelle*, au gré des courants sous-marins, s'approchait de plus en plus du navire pestiféré.

« Qu'est-ce qu'on fait, amiral ? demanda Thibault. On ne va quand même pas les aborder ? »

« Nous n'avons que deux options, mon prince. Ou nous jetons l'ancre nous-mêmes pour rester à distance, ou nous tentons de louvoyer. Par contre, ajouta-t-il en se mouillant l'index et en le levant vers l'azur parfait, je ne sens pas même un pet d… »

« D'amiral ! » fit une voix. Tout le monde éclata de rire. L'amiral se retourna d'un coup sec, mais ne put voir qui avait parlé. Il pinça les lèvres.

« Amiral Dorec », intervint Thibault, soucieux de faire diversion, mais contrôlant son fou rire à grand-peine. « Nous n'allons tout de même pas nous ancrer devant un tel spectacle, qu'en dites-vous ? »

« Louvoyons, conclut l'amiral, amer. Louvoyons ! ordonna-t-il. Guillaume, tu prends la barre. »

« Dans quelle direction, amiral ? » demanda le second.

« N'importe laquelle, répondit l'amiral, sauf celle de ce tombeau. »

Ils firent de leur mieux pour s'éloigner du vaisseau fantôme. Ils y mirent un temps fou. Thibault voulut d'abord prendre part aux manœuvres, mais, alors qu'Ema traversait brièvement son champ de vision, il fut violemment saisi par l'étrange lumière qu'il avait vue lors de l'arrivée à Khyriol. Elle enveloppait tous les marins, le moindre cordage, le moindre coin de voile, béatifiait la petite tête de chèvre, faisait briller les clous comme des pépites d'or. Le vaisseau fantôme semblait un objet de cristal finement ciselé. Le cadavre, bras en croix, irradiait un tel bonheur que le prince, déboussolé, se retira dans sa cabine.

L'amiral le regarda s'éclipser en se demandant bien ce qui lui prenait. Un souvenir incongru lui revint à l'esprit : le jour du baptême de Thibault, un rayon de soleil était venu se poser sur son front et y tracer la forme d'une fleur. Les invités, dont il était, y avaient vu un bon augure. L'amiral venait d'apercevoir une chose semblable sur son visage. Il décida que c'était le reflet de la poignée de porte.

**

Les hommes de l'*Isabelle* s'étaient depuis longtemps lassés de l'humidité tropicale. Leurs vêtements leur collaient à la peau. Leurs hamacs n'étaient jamais tout à fait secs. Les voiles incrustées de sel leur semblaient chaque jour plus lourdes et les cordages, plus visqueux. Ils se sentaient les bras mous comme des algues, l'esprit flottant comme une méduse.

Pour rien au monde, cependant, ils n'auraient avoué leur fatigue. L'endurance physique faisait partie de leur métier au même titre que le pied marin. Mais ils venaient de passer plus d'une année dans une seule et même saison : l'été. L'été sans cesse et sans trêve les faisait se languir d'un bon hiver de Pierre d'Angle à se geler les mains sur la hache en coupant du petit bois. Même la mer avec laquelle ils entretenaient un dialogue constant, au point de lui parler à haute voix et de la croire vivante, s'entêtait à leur répondre dans un dialecte étranger. Des houles puissantes et pluvieuses les prenaient parfaitement au dépourvu. Le calme le plus plat ne présageait même pas d'un bon quart de repos. La mer les trompait. Ils se sentaient cocus.

Pour ne rien arranger, depuis qu'ils avaient croisé le vaisseau fantôme, Thibault ne s'adressait plus à eux qu'en cas de nécessité et prenait ses repas au carré.

Il invitait parfois l'amiral et le second à se joindre à lui, mais c'était par souci de bienséance plus que par intérêt véritable. Personne ne comprenait quel mal l'avait pris. Jusque-là, il s'était toujours mêlé avec enthousiasme de la bonne marche du navire, et ses idées impulsives avaient fait le piment de ces longs mois. Il était, pour tout dire, l'âme du voyage. Son absence inquiéta les hommes, puis finit carrément par les déprimer.

Ils crurent que la vie à bord ne l'intéressait plus. Ils tiraient à la courte paille pour savoir qui irait « chercher le Thibault pour une joute d'arts martiaux ». Il refusait systématiquement toute invitation. Un jour, excédé, il consentit enfin à sortir de sa cabine. Mais, comme pour les embêter, il montra une nouvelle prise qui les mit un par un sur le dos. La manœuvre partait d'une prise de poignet et plusieurs, endoloris, se demandèrent comment ils allaient même pouvoir hisser la voile. Ils regrettèrent amèrement d'avoir tiré le prince de sa solitude. Il y retourna d'ailleurs aussitôt en leur recommandant de s'entraîner décemment avant de le déranger.

Ema, qui avait observé la scène du pont avant, demeura perplexe. Les hommes ne parlaient qu'en bien de leur prince, mais quelle sorte d'homme était-il ? Ces yeux clairs, francs, rieurs, cette voix calme et posée, et le fait qu'il l'avait prise à bord malgré l'amiral : tout ça lui aurait inspiré confiance si elle avait été capable d'un tel sentiment. Et pourtant, cette morosité soudaine, cet isolement et cette étrange démonstration de force... que fallait-il en penser ?

À la grande honte d'Ema, le second événement qui tira Thibault de sa cabine la concernait directement. Depuis son embarquement clandestin, l'équipage avait suivi le mieux possible les instructions qui lui avaient été données : chacun la traitait comme un garçon, même en se disputant sa compagnie. Elle jouait bien le jeu et se montrait un garçon particulièrement vaillant.

Pourtant, par une nuit pluvieuse, alors qu'elle se reposait dans le gaillard d'avant, Ema perçut des pas feutrés derrière elle. Des pas lourds ne l'auraient ni réveillée ni alarmée. On les entendait à tout moment. Mais les pas feutrés étaient suspects, et elle retint son souffle. Les yeux fermés, sans bouger, elle attendit. Quelqu'un s'approchait derrière elle. Une haleine d'ail passa sur sa joue. Très lentement, presque imperceptiblement, quelque chose lui frôla la hanche. Elle se retourna d'un coup. Une main brutale se posa sur sa bouche, une autre se glissa sous sa chemise.

Les marins ne savaient pas encore qu'Ema dormait toujours avec, à portée de la main, un tesson de bouteille. Elle s'en empara et donna un coup sec. L'homme lâcha prise. Il recula.

« Bâtarde », gronda-t-il en s'engouffrant dans l'entrepont.

« La prochaine fois, c'est dans l'œil, salopard ! » lança Ema derrière lui. Elle se repentit aussitôt d'avoir haussé la voix. Guillaume Lebel traversait déjà le pont au pas de course. Il la trouva roulée en boule dans son panier de cordage, à faire semblant de dormir.

Le lendemain, il attendit de voir si Ema dénoncerait ou non l'épisode de la nuit précédente. Elle faisait mine de rien. Il ne fut pas autrement surpris. Elle avait probablement saisi à quel point l'harmonie de l'équipage tenait toujours à un fil ; elle comptait se faire respecter pour sa détermination et son endurance, et non par la protection du prince. Guillaume, par contre, n'avait pas le choix : en tant que second, il devait maintenir la discipline à bord. Impossible de laisser passer le fait. À la fin de l'après-midi, il en parla à Thibault.

Thibault appela immédiatement Ema au carré. Elle se présenta avec l'air tendu et fatigué de quelqu'un qui a passé la nuit à tenir un tesson de bouteille bien serré dans son poing.

« Moussaillon », commença-t-il d'un ton qu'il voulait neutre mais qui sonnait mécontent. « Ne passons pas par quatre chemins. On t'a entendue crier hier soir. Qu'est-ce ce qui s'est passé ? »

Ema redressa la nuque, mais ne dit rien.

« Les hommes ont reçu des ordres. S'ils désobéissent, ils doivent être punis. C'est la règle et ils le savent. »

Déterminée à ne dénoncer personne, Ema ne disait toujours rien. Elle se tenait droite, un rien rigide, prête à tout encaisser, un sermon comme une gifle. Thibault tapota la table du bout des doigts.

« Bon. Très bien. À partir d'aujourd'hui, tu dors dans l'entrepont, dans ton hamac. Plus de gaillard d'avant, plus de nuits à la belle étoile. »

Elle lui jeta un regard farouche, puis baissa précipitamment les yeux.

« Dis quelque chose », s'impatienta Thibault. Elle était sans doute le membre le plus têtu de tout son équipage. Il se demandait, une fois de plus, s'il avait bien fait de la garder à bord lorsqu'elle changea tout à coup d'attitude. Elle venait de se souvenir du pouvoir qu'il avait sur sa destinée.

« Il est marqué, sire », concéda-t-elle.

« Marqué ? Qui ? Le coupable ? Dis-moi plutôt son nom... »

Ema hocha la tête. Elle avait reconnu le marin à sa voix ainsi qu'à son haleine, mais elle entendait conserver le nom pour elle. Thibault soupira.

« On dirait que tu as honte, moussaillon. Ce n'est pourtant pas toi qui as commis la faute. Allez. Marqué à quoi ? Comment ? »

« Au tesson de bouteille. »

« Au tesson de bouteille ? Dis donc… »

Il haussa les sourcils, impressionné.

« Bon. Tu peux te retirer. Vas-y doucement, par contre, avec les tessons. Les gars sont durs, mais tout de même… »

Ema s'était à peine retirée que Thibault fit s'aligner tout l'équipage sur le pont principal. Ceux qui dormaient montèrent en ronchonnant. Les autres abandonnèrent leur tâche. Ema, comprenant qu'il allait s'agir d'elle, alla, mortifiée, se cacher dans la cale, là où on l'avait trouvée au départ de Khyriol.

« J'ai donné des règles très claires concernant le nouveau mousse, tonna Thibault. Quelqu'un les a enfreintes et, soit dit en passant, ce n'est pas le mousse qui me l'a fait savoir. Que le coupable se montre de lui-même. »

Personne ne bougea. Certains avaient l'air surpris, d'autres gênés. Ils se dévisageaient les uns les autres. Guillaume avait les bras croisés, les sourcils froncés. L'amiral pinçait les lèvres, fort irrité, décidé à se débarrasser de l'étrangère le plus tôt possible.

« Bon, si c'est ainsi, fit Thibault, en s'approchant du groupe pour les passer en revue un par un. Plein front, les mains bien visibles. » Il se mit à déambuler lentement, passant d'un homme à l'autre. Ne rencontrant d'abord aucune trace de tesson de bouteille, il commençait à désespérer, lorsqu'il remarqua que Marcel avait une coupure récente à la tempe.

« Qu'est-ce qui t'est arrivé, là ? »

« Euh… bafouilla Marcel, paniqué. J'ai… Je me suis cogné à la bôme, sire. La bôme m'a cogné. »

« Ah. La bôme t'a cogné. »

Marcel se tordait les mains. Thibault examinait la coupure, la jumelait mentalement à un tesson de bouteille et finit par se convaincre que le gabier lui mentait.

« Qu'est-ce que j'ai dit l'autre jour, Marcel, à propos du nouveau mousse ? Si on l'embête, qu'est-ce qui arrive ? »

« Par-dessus bord, sire, murmura Marcel. Mais… »

« Pas de *mais* », fit Thibault en le tirant brusquement hors du rang et en le poussant sans ménagement jusqu'au bastingage. Bien sûr, il y avait les requins, mais la bouée de sauvetage était juste à côté. D'une main, il le pencha au-dessus de l'eau, de l'autre, il le saisit par la ceinture. C'était une manœuvre martiale que son équipage ne connaissait que trop bien.

« Attendez, sire », fit une voix derrière lui. Mais Marcel basculait déjà et, après une longue descente, il toucha l'eau avec un bruit de caillou.

Roland, un autre gabier, s'avançait en traînant les pieds. Sa chemise était lacérée. Thibault la lui fit déboutonner. Il avait une longue coupure en travers de la poitrine. Il savait parfaitement bien que, s'il permettait qu'un autre soit puni à sa place, sa vie à bord deviendrait un enfer jusqu'à la fin du voyage. Déjà qu'on se le passait constamment d'un quart à l'autre tant il était malcommode.

« Allez merde. Gabier de poulaine ! » C'était l'insulte suprême et elle surprit tout le monde. Thibault perdait rarement son sang-froid. Il continua en ordonnant, furieux : « Va le chercher ! Allez, va chercher Marcel ! TOUT DE SUITE ! »

Roland hésitait. Le gros de sa vie en mer consistait à ne pas tomber à l'eau. Il était paralysé par l'absurdité de cet ordre. Il s'approcha néanmoins du bastingage.

« PLUS VITE QUE ÇA ! » lui cria Thibault.

Roland enfourcha le bastingage. Parmi les hommes rassemblés sur le pont, plus d'un retenait son fou rire. Ceux-là, l'amiral les foudroyait du regard.

Roland sauta.

Thibault lança la bouée de sauvetage à sa suite. Marcel avait nagé le long de la coque pour ne pas être laissé dans le sillage du navire. Il fut éclaboussé par la chute de Roland et reçut la bouée en plein visage. Thibault les regarda patauger un instant, s'assurant qu'ils étaient bien accrochés, puis il se tourna vers le reste de l'équipage.

« Est-ce que tout le monde a bien compris ? »

« Oui, sire », répondirent les hommes en chœur.

« Bon. Qu'on les repêche. »

Et il s'en alla à grands pas vers le carré dont il claqua la porte si fort qu'elle faillit sortir de ses gonds.

C'est Félix qui alla chercher Ema dans la cave. Il avait lui-même assez fait l'expérience de l'humiliation pour imaginer qu'elle se cachait le plus creux possible et qu'elle aurait besoin, elle aussi, d'une bouée pour remonter. Il lui offrit des billes de verre qu'il avait achetées dans un bazar à la toute première escale.

Guillaume prit bien soin de répéter à tout un chacun qu'il avait lui-même parlé de l'incident au prince. La discrétion d'Ema impressionna autant les hommes que son tesson de bouteille. L'emportement du prince les troubla passablement, mais renforça leur obéissance. Certains parvinrent même à imaginer que le nouveau mousse portait la moustache. Marcel prit Roland en grippe. Il trouvait toutes les raisons de le reprendre et de le mettre dans l'embarras. Les autres le laissaient faire. Sa ration de sucre et de tabac fut suspendue, tout espoir de grain de poivre annulé. Quand le buandier retrouva dans ses affaires l'horloge du navigateur, son salaire disparut. Quelqu'un grava « couillon » sur son bol.

Ema redoubla d'efforts pour paraître masculine. Elle s'acquittait de tâches qui dépassaient ses forces, se reposait peu et ne bavardait pas. Elle se dépensa tant et si bien que l'amiral lui-même, au grand étonnement de tous, finit par s'amadouer. Il n'avait jamais vu chez les femmes que des complications et remerciait chaque jour le ciel d'un métier qui le tenait si loin de son épouse. Pourtant, il devait bien se rendre à l'évidence : Ema Beatriz Ejea Casarei faisait un mousse exemplaire. On le surprit même à lui offrir un biscuit.

« Par-dessus bord », chuchotait-on depuis dans son dos.

CHAPITRE IV

Selon l'endroit qu'il choisissait pour réfléchir, on pouvait deviner l'humeur du prince. S'il ruminait le passé, c'est à la dunette qu'il préférait se rendre. Le plus élevé des ponts, la dunette offrait des vues imprenables. Le prince y surprenait d'ailleurs souvent le géologue en pleine session d'aquarelle ou gisant assommé par un mouvement soudain de la voile d'artimon. Mais lorsqu'il s'y trouvait seul, il aimait observer le sillage du navire. Les événements finissaient toujours par lui apparaître pour ce qu'ils étaient, éphémères, changeants. L'écume s'agitait un moment, s'ouvrait comme une aile, puis allait doucement s'effacer dans le bleu de l'eau. La mer, très vite, avait tout oublié du passage de l'*Isabelle* et des soucis du prince.

Si le prince avait un problème concernant l'avenir proche ou lointain, c'est plutôt sur le pont avant qu'il allait méditer. Il projetait sa pensée vers une destination encore invisible, soutenu par l'avancée têtue du bateau. Par contre, l'usage des latrines, en contrebas, lui gâchait souvent sa réflexion. Des lattes espacées se projetaient directement au-dessus des flots et c'est là que les marins se rendaient en cas de besoin. Avec l'habitude, ils savaient comment pisser sans que le vent leur réponde, mais quiconque se trouvait sur le pont avant demeurait à risque.

Malgré cet inconvénient, au moment de passer l'équateur, on ne voyait plus Thibault qu'à la proue. Au coucher du soleil, la chaleur faisait vibrer l'horizon au point de créer des mirages fascinants. Devant le prince s'étalaient des villes aux dômes cuivrés et aux rues serpentines, en constantes métamorphoses. Mais, comme si le ciel reflétait son tourment, le crépuscule finissait par charrier de gros nuages noirs, et le mirage s'évaporait. L'amiral le rejoignait alors pour commenter :

« Le climat des tropiques est aussi volage… »

« Que les gens de Khyriol, en effet », le contentait Thibault.

Un soir qu'ils étaient ainsi à la proue, un gabier accourut en gesticulant. La dernière manœuvre avait révélé une mauvaise fissure dans la bôme du mât de misaine.

« Combien mauvaise ? » s'enquit l'amiral.

« Mauvaise, amiral. Très, très mauvaise », soupira le gabier.

L'amiral fit baisser la voile de mauvais gré, puisqu'un vent favorable soufflait et qu'il lui en coûtait de changer d'allure. Il fit appeler le maître charpentier, qui ne manquait jamais d'ouvrage.

Bien qu'ils l'aient entretenue avec soin, la longue expédition avait fatigué l'*Isabelle*. Elle avait urgemment besoin de passer au radoub. Par mesure de sécurité, l'amiral la faisait inspecter quotidiennement de fond en comble, et la cale soir et matin. Jamais on n'avait fiché autant de pinoches pour parer aux fuites d'eau, ni bridé de filin, ni multiplié les videlles. La peinture s'écaillait sur la coque, la corrosion s'attaquait à l'axe du gouvernail. Un coin de moisissure sur le grand foc chicotait tout particulièrement l'amiral. On manquait de toile neuve, et celle qu'on avait tenue en réserve dans la cale avait fait le festin des rongeurs. Le tonnelier s'était fait rabrouer par le second pour ne pas l'avoir mieux rangée. Bref, l'*Isabelle*, comme l'équipage, ne songeait plus qu'à son port d'attache.

La bôme était faite d'un arbre entier et ne pouvait être remplacée que par un arbre entier. Le maître charpentier et son aide plantèrent des coins en bois aux deux bouts de la fente, avec des maillets. Ainsi ouverte, ils l'enduisirent de résine. Ils y enfonceraient des morceaux de bois coupés en biseau que la résine tiendrait en place. Pour mieux faire, ils l'entoureraient aussi de corde bien serrée, une sorte d'attelle.

Pendant qu'ils travaillaient à biseauter le bois, les nuages noirs de tribord se firent de plus en plus menaçants. La mer allait encore se démonter. Jules, le charpentier, s'empara d'une bâche pour protéger la bôme endommagée. Bientôt, une pluie tiède se mit à tomber. D'énormes gouttes, d'abord, qui s'écrasaient en flaques à leurs pieds, puis une averse intense, diagonale, qui leur fouettait le visage. Le charpentier détestait laisser les choses en plan. De plus, il voulait à tout prix éviter que la résine ne sèche avant l'application du bois. Il se glissa sous la bâche pour continuer à tailler les pièces. Son aide insistait pour qu'ils s'installent plutôt dans l'entrepont ou le gaillard d'avant. Mais Jules n'avait pas de temps à perdre. Il savait qu'une mauvaise tempête pourrait faire céder la bôme pour de bon. Dans l'obscurité de son refuge, il effilait ses pièces à l'aveuglette avec le ciseau à bois. Il tomba sur un nœud et le ciseau glissa. Il se coupa si profondément la main qu'on voyait surgir la lame de l'autre côté.

On l'entendit jurer. Comme si le ciel venait de lui lancer un défi, il redoubla d'acharnement. À chaque coup de maillet, le sang lui giclait dans la barbe. Son aide finit par devoir le soutenir jusqu'au chirurgien, qui l'examina en hochant la tête. La blessure était profonde et mauvaise.

« Allez merde, mon vieux. C'est un miracle que tu puisses encore bouger tes doigts. »

Louis le chirurgien et Jules le charpentier avaient grandi ensemble dans la plaine ondoyante de la région du Centre. Ils avaient rêvé de la mer pendant toute leur enfance et s'étaient retrouvés tous les deux, par pur hasard, à bord de l'*Isabelle*. La bouteille de gros gin sortit de l'armoire verrouillée. L'alcool servait d'anesthésique et de désinfectant. Les occasions ne manquaient pas, aussi Louis l'utilisait-il avec parcimonie. Mais, puisque Jules était un vieux copain, il lui tendit d'abord la bouteille, et le charpentier se mit à boire au goulot.

« Oh, oh, Jules ! Ça suffit, oh ! »

Louis lui arracha la bouteille et versa le gin sur la plaie. Il ne voulait pas recoudre, par peur des germes. Il se contenta de la cautérisation d'usage. Sur le four de la cuisine, composé de quelques briques et d'une grille, il fit chauffer à blanc un pieu de métal qu'il passa dans la blessure. Le hurlement de douleur du charpentier fit tomber le gringalet de son hamac.

« Voilà, soupira le chirurgien. La torture est finie. Maintenant, l'eau salée. Tous les jours, matin et soir, l'eau salée, le bandage. La main au repos et au chaud. »

« Combien de jours sans travailler, Louis ? »

« Tu blagues, Jules. On parle de semaines. »

Le charpentier leva les yeux vers son aide, qui haussa les épaules pour le rassurer. Il était loin de valoir Jules, et il avait aussi la forge à mener, mais il ferait son possible.

Il n'y eut pas de tempête, ce soir-là. Que de la pluie. La blessure, décidément mauvaise, empêcha Jules de fermer l'œil. Le surlendemain, Louis la nettoya et la pansa de nouveau, sans cesser de hocher la tête.

« Quoi ? » demanda Jules.

« Quoi, quoi ? » feignit le chirurgien.

« Ça va guérir, ou non ? »

« Mais bien sûr, allons. Qu'est-ce que tu crois ? »

« J'ai de plus en plus de mal à bouger les doigts, voilà ce que je crois. »

« C'est normal, mon Jules. Le temps va tout arranger. »

Le chirurgien n'était pas crédible. Il avait le front soucieux et la voix penaude. Il craignait le pire, mais n'osait pas l'avouer. Il avait déjà fait tout ce qu'il pouvait.

Quatre jours passèrent. La chose n'allait qu'en s'empirant, le chirurgien ne s'exprimait plus qu'en hochements de tête.

« Quoi ? »

« Quoi, quoi ? »

« Oh, Louis, dis-moi la vérité. »

Louis ne dit rien et, le soir même, Jules fut pris de fièvre. Il geignait dans son sommeil. Au matin, sa main était paralysée et si enflée que le bandage s'était déchiré. La plaie suintait, la paume était violacée, les doigts gonflés comme des saucisses.

« Merde, Jules, fit le chirurgien. Merde, merde. »

« C'est la gangrène, Louis ? »

« La gangrène humide. Ça peut encore s'arranger. »

Il fit appeler Lucas, l'infirmier, et dut attendre un peu, parce qu'il se trouvait à nettoyer le pont. Lucas n'avait pas les qualifications nécessaires pour être médecin, mais ses compétences dépassaient souvent celles du chirurgien. Louis, sous prétexte de lui enseigner les rudiments du corps humain, lui demandait souvent son avis sans en avoir l'air. Jusqu'ici, il l'avait tenu à l'écart du charpentier. Il se sentait vaguement coupable et craignait que Lucas ne l'écrase de reproches. Au point où ils en étaient, cependant, il avait vraiment besoin d'une seconde opinion.

« Regarde, Lucas, regarde-moi ça », fit-il d'un ton un peu condescendant.

L'infirmier examina la main, la tâta, cribla Jules de questions auxquelles Louis n'avait même pas songé.

« C'est la gangrène humide ? » finit-il par demander.

« Précisément », répondit le chirurgien, heureux de voir son opinion confirmée. « Mon Jules, il faut qu'on t'enlève des morceaux. »

« Des morceaux ? Combien de morceaux ? » s'alarma Jules.

« Mais non, mais non. Juste des bouts morts. Je vais te nettoyer ça. »

« Vas-y, alors. Nettoie. »

L'infirmier grimaça. Le chirurgien sentait que Lucas allait critiquer sa méthode de nettoyage, qu'il jugeait désuète et cruelle. Il le renvoya illico sur le pont. Une fois seul avec le charpentier, il lui appliqua un bandage qu'il laissa s'imbiber de pus. Puis il le retira d'un coup sec, enlevant sans discrimination des peaux mortes et saines, du pus et du sang. Jules, cette fois encore, hurla de douleur. Louis, sans prendre le temps de s'interrompre, gratta la plaie avec un couteau effilé et la désinfecta avec de l'huile chaude. Le charpentier faillit s'évanouir. Lucas, alerté par ses cris, sauta au bas de l'escalier.

« Et qu'est-ce que tu lui as fait ? »

« Aide-moi plutôt à l'installer par terre. Il ne va plus supporter l'oscillation du hamac. »

« Mais qu'est-ce que tu lui… »

« Ne te permets pas, Lucas Corbières, d'insinuer quoi que ce soit. J'ai fait ce que je devais faire. Arrachement, raclement, huile chaude. Tout ce qu'il y a de plus orthodoxe. Retourne à ta serpillière. »

Ema, qui épluchait des pommes de terre à l'autre bout de l'entrepont, entendit la conversation. Elle avait bien une solution en tête. Dès que le chirurgien émergea de derrière le rideau, elle demanda à lui parler. Une discussion enflammée s'ensuivit.

« Toi, le mousse, retourne à tes patates », la chassa le chirurgien, outré.

Ema obéit, furieuse, et le cuisinier la surprit à poignarder ses légumes.

Jules ne se reprit pas. Il entra dans des souffrances atroces. La nécrose progressait de minute en minute. Vingt-quatre heures plus tard, la puanteur de sa main hantait l'entrepont. Par un malheureux concours de circonstances, sa situation coïncidait avec une foudroyante diarrhée collective. On entendait gémir les hommes jusque dans la vigie. Louis lui-même n'atteignait plus le seau qu'à quatre pattes. Lucas prit sur ses seules épaules trois quarts infernaux de suite. Les hommes supportaient les pires blessures sans broncher, mais le mal de ventre les transformait en mauviettes.

Il commença par examiner Jules, qui l'inquiétait beaucoup. En voyant son état, il sentit sa gorge se nouer. C'était pire encore qu'il ne l'avait craint : la plaie suppurait et contenait des bulles remplies d'un liquide violet, la peau pelait, brunâtre. Le charpentier gardait les yeux fixés sur le rideau avec une expression d'horreur. Lorsque l'infirmier appliqua une pression sur la plaie, des crépitements s'en échappèrent.

« Ah ça, Jules, soupira-t-il, angoissé. C'est la gangrène gazeuse. On n'a plus le choix, mon vieux. »

Cette fois, la chose relevait vraiment du chirurgien. Mais Lucas le trouva plié en deux dans son hamac.

« Va te promener ailleurs, Corbières, va-t'en. »

« C'est Jules, il faut que tu viennes... »

« C'est ton quart, tu t'arranges… »

« Mais Louis, vraiment… »

« Aïe aïe, ces crampes ! Ces maudites crampes ! »

Lucas inspecta tout le navire pour mesurer l'étendue du désastre, puis, en désespoir de cause, s'en fut cogner chez le prince.

« Sire, lâcha-t-il sans préambule, le charpentier est un homme mort si on ne l'ampute pas. »

« Maintenant ? »

« Maintenant, sire. »

« Où est le chirurgien ? »

« Il est plié en deux dans son hamac, sire. Il m'a envoyé promener. »

« Mais l'amputation, Lucas, tu es sûr ? Une main… »

« Je sais, sire. Une main c'est un miracle, mes professeurs de guitare me l'ont assez répété. Mais nous n'avons pas le choix. »

« Jules va perdre son métier… »

« Il va perdre bien plus si on n'agit pas dans l'heure, sire. »

Thibault ne sut que répondre. Jules était l'un des meilleurs maîtres charpentiers de Pierre d'Angle. Les gens disaient qu'il savait parler au bois.

« Vous savez ce que ça signifie, mon prince. Une amputation à bord », reprit Lucas.

« Nous avons déjà eu la phalange du chef de hune et le gros orteil d'un matelot. »

« C'est exact, sire. Mais avec les orteils et les bouts de doigts, c'est tout juste histoire de donner un bon coup. Un bras… »

Thibault jaugea l'infirmier. Haut de taille, baraqué, mal rasé, ses cheveux foncés lui descendaient jusqu'aux reins, deux anneaux d'argent brillaient à son oreille. De tous les membres de l'équipage, il était l'un de ceux qu'il appréciait le plus. Il repensa au jour où il l'avait recruté à l'école d'infirmerie. Il l'avait choisi pour ses mensurations et pour sa guitare. Il faut toujours un musicien à bord quand le voyage est long. Dur à l'ouvrage et pragmatique, comme la plupart, Lucas était aussi très calme, comme plusieurs. Mais il était le seul qu'on n'ait jamais entendu médire de personne.

« Tu m'as l'air plutôt troublé toi-même, Lucas. Tu as déjà fait une chose du genre ? »

« Je l'ai vue faire, sire. J'ai beaucoup lu… » Il soupira. « Pour être franc, non, sire. Je n'ai jamais fait une chose du genre. »

Thibault se gratta la nuque.

« Tu veux que j'aille chercher le chirurgien moi-même ? Que je le convainque de sortir de son hamac ? »

« Avec tout le respect que je vous dois, sire, c'est peine perdue. Je l'ai vu ramper jusqu'à un seau. »

« Bon. Il faut bien une première fois. »

« Oui, sire. »

« J'ai toutes les raisons de te faire confiance. »

« Merci, sire. »

« Il te manque quelque chose ? »

« De l'alcool pour le saouler, on est à court de gros gin. Deux assistants pour le tenir, un autre pour m'éclairer décemment. Un autre encore pour me garder l'eau bouillante et voir à la propreté, sire. »

« Recrute à ton aise, tu as ma confiance. »

« C'est que… Sire… Le chirurgien n'est pas un cas isolé. Le gros de l'équipage est malade. Je voulais même vous demander d'ouvrir à tous le balcon du carré, si ça ne vous dérange pas trop. Ils font la file à l'avant. »

« Mais qu'est-ce qu'ils ont ? C'est l'eau ? »

« L'eau est en phase de petits vers, sire. »

Lucas disait vrai. Deux mois après qu'on eut refait le plein d'eau fraîche, elle virait au roux et sentait tellement mauvais qu'on s'en approchait à reculons. Puis elle s'éclaircissait d'elle-même, comme par miracle, et son goût était extrêmement fade. Elle mettait deux bonnes autres semaines à virer au roux de nouveau, et, cette fois, elle était peuplée de vers grisâtres, au nez noir. Les vers, par bonheur, étaient suffisamment gros pour qu'on puisse les retenir dans un filtre de tulle. Cette phase durait dix jours, après lesquels l'eau devenait blanchâtre. Lorsqu'elle s'éclaircissait pour la dernière fois, les gros vers avaient cédé la place à de petits vers blancs qui gigotaient tant et si bien qu'on les filtrait difficilement, même à travers seize épaisseurs de tissu.

« Ah. Les petits vers. On la filtre, bien sûr ? »

« Oui, mais, bon. Le gros roulis de l'autre jour a fait valser les vers, on parle maintenant de compote, mon prince. »

« Et toi, Lucas ? Tu n'as pas de crampes ? »

« Moi, sire ? »

« Oui, toi. »

Lucas mit un moment à répondre et ne le fit qu'en louvoyant.

« Eh bien, sire… Je l'aime bien, le tonnelier, qui n'aime pas le tonnelier ? Pour les nœuds, rien à redire, cabestan d'une main, demi-clef de l'autre… Par contre, côté tulle… Je l'ai vu faire, Ovide. Il tourne les coins un peu ronds. J'ai toujours en poche mon petit mouchoir supplémentaire, voilà. Je préfère filtrer deux fois. Soit dit entre nous, bien entendu, mon prince. »

Thibault prit bien note. Il enverrait Guillaume Lebel dire deux mots à Ovide. En attendant, il se demandait comment il avait lui-même échappé aux crampes. Lucas, qui voulait à tout prix éviter d'être tenu pour un informateur, chercha à minimiser la question des vers.

« L'équipage en a vu d'autres, sire. Ce ne sont que des crampettes, après tout. Et puis l'eau va s'éclaircir d'elle-même. Le problème pressant, c'est la nécrose. »

« Tu as une idée, pour les assistants ? »

« Euh, oui, sire. »

« Alors ? »

« J'ai fait le décompte des hommes encore debout, sire, et j'en ai soustrait tous ceux qui sont requis à la bonne marche du navire. Si je laisse le cuisinier à son travail, il reste deux autres personnes. »

« Ce n'est pas suffisant… »

« Je peux me débrouiller avec les lampes. La mer est assez calme, avec un peu de chance, elles ne bougeront pas trop, j'y verrai suffisamment. Je peux confier la stérilisation à l'un des assistants, si l'autre a une poigne suffisamment ferme. Difficile, mais possible. »

« Et qui sont les hommes auxquels tu penses ? »

« L'un d'eux, sire, n'est pas un homme, à proprement parler… »

« Ah… Je vois. Elle n'est pas malade ? »

« Ema trouve l'eau du navire, comment dire, mon prince… ? Infecte. Elle a pris l'habitude de récolter l'eau de pluie. Les autres se moquaient d'elle, les voilà bien punis. La grosse averse de l'autre jour lui a donné suffisamment pour qu'elle partage aussi avec… avec… »

« Avec qui ? »

« Avec vous, sire. À la demande de l'amiral. »

« On me fait boire de l'eau de pluie ? »

« Autant que possible, sire. À la demande de l'amiral. »

« Mais de quoi il se mêle, l'amiral ? »

« Il se mêle de votre santé, sire. À la demande du roi Albéric votre père. »

Thibault était choqué par la nouvelle. Mais le choc fut pire encore lorsqu'il comprit qui était le deuxième homme à bord en état d'assister Lucas. L'infirmier tempéra :

« Il y aurait bien le cuistot, qui a un estomac d'acier. Si vous préférez prendre sa place et préparer du riz blanc pour trente hommes… Sire ? »

« Je te rejoins tout de suite. »

Quelques minutes plus tard, Thibault quittait sa cabine, un excellent whisky à la main, cadeau de Clément de Frenelles. Il traversa l'entrepont à grand-peine, se faufilant entre les hamacs où se tortillait l'équipage. Des relents de diarrhée se mêlaient à la puanteur de la gangrène. Les odeurs macéraient dans l'espace restreint, l'air était torride, suffocant.

Thibault écarta la toile tachée d'huile, de sang séché et de traces de doigts qui servait de rideau à l'infirmerie. Le matelas de paille était hissé sur des tréteaux. Le malade y gisait, haletant, tremblant de fièvre. On voyait battre son cœur à travers sa chemise trempée de sueur. Ema se tenait près de lui, voilée par la vapeur de l'eau qu'elle venait de faire bouillir et sur laquelle elle se penchait pour étuver des morceaux d'étoffe. Dire que, depuis des semaines, il évitait de se trouver en sa présence. Maintenant, il allait devoir amputer un homme en sa compagnie.

Elle repêcha un chiffon bouilli à l'aide d'une grosse pince pour le lui tendre. Son mouvement était naturel, totalement dépourvu d'artifice. Peu de femmes oubliaient qu'il était prince, et l'indifférence avec laquelle le traitait Ema lui inspirait presque de la gratitude. Il s'efforça de ne pas la regarder, de peur que la lumière cristalline ne lui fasse encore perdre ses moyens. En prenant l'étoffe, il se brûla les doigts.

« Retroussez vos manches et lavez-vous les mains, sire, dit l'infirmier en tressant ses propres cheveux. Les chances de survie sont trois fois plus élevées si nous désinfectons tout, y compris nous-mêmes. »

C'était l'une des plus surprenantes découvertes de la médecine récente. Le chirurgien s'en moquait, mais l'infirmier s'y pliait diligemment. Il se lava lui-même jusqu'à se mettre la peau à vif. Puis il souleva d'un air funeste le couvercle d'une mallette. Elle était rembourrée de velours cramoisi et creusée de compartiments destinés à six couteaux de taille différente, du scalpel à la machette. Elle contenait aussi des binocles, des pinces, un tourniquet qui ressemblait à un ouvre-bouteille et un manuel jauni que Lucas avait lu sept fois, *Traité de chirurgie à bord d'un navire avec le strict nécessaire et dans des conditions néfastes*. L'envers du couvercle était occupé par un instrument qui, à lui seul, éclipsait tous les autres : la scie.

Le charpentier jeta un œil sur la trousse et fit la grimace.

« Pas très différent de ta boîte à outils », tenta de le rassurer Lucas. Mais Jules avait l'air terrifié. Comme pour lui donner raison, le cuisinier fit une brève apparition, avec deux grosses cuillers de bois qu'il déposa en tremblant sur le matelas. Jules comprit d'emblée qu'elles étaient là pour qu'il les morde.

« Combien de temps ? » souffla-t-il.

« Ah ça, Jules. Un spécialiste de Virage peut amputer en dix minutes. »

« Le record est détenu par un nommé Prévert, de Virage, ajouta Thibault. Quatre-vingt-dix secondes. J'ignore si le reste du patient a survécu. »

Il en avait trop dit et se mordit la langue. Le charpentier répéta, d'un ton agonisant :

« Combien de temps, Lucas ? »

« Eh bien. Je ne suis ni spécialiste ni Prévert. Nous sommes en pleine mer. Trente minutes, peut-être. Trente-cinq ? »

Le roulis s'intensifiait. La coque craquait, secouée d'un bord à l'autre. Les lampes-tempête, en se balançant, projetaient plus d'ombres que de lumière.

« Tout est prêt. » Lucas avait des sueurs froides. « Prêts ? » répéta-t-il à l'intention de ses deux assistants.

Ema et Thibault firent oui de la tête.

« Jules, je vais parler et tu vas m'écouter. Je vais parler sans arrêt, tu n'as pas besoin de comprendre ce que je dis. Je veux seulement que tu restes avec ma voix, compris ? Reste avec nous. »

Il s'empara du tourniquet.

« On dit de couper en hauteur pour éliminer la partie gangrenée, mais tout de même près de l'articulation, pour conserver le maximum… Une sorte de compromis. Ici. À la toute fin de l'avant-bras. Voilà, sire, tenez bien l'épaule pendant que j'applique le tourniquet, Ema, tiens le poignet, voilà. Je serre, mon vieux, je serre du mieux que je peux. Pas d'hémorragie en plus du reste. Donnez-lui une rasade, sire. Ema, stérilise-moi le couteau, celui-là, en demi-lune. Voilà. Prends-lui la main. Je sais, Jules, ça fait mal. Je sais, je sais. Tiens-lui bien la main, Ema, on n'a pas le choix. La cuiller, sire, donnez-lui une cuiller à mordre.

Mords, Jules. J'y vais. Tenez-lui bien l'épaule, sire. Incision circulaire. Mon pauvre vieux. Assez de peau pour les rabats. Bien détachée... voilà. J'y vais dans les muscles maintenant, tenez-le bien. Merde, cette lampe qui n'arrête pas de bouger, la lampe, sire, la lampe. Ne bouge pas non plus, Jules, ne bouge pas! Tenez-le fermement, sire, tant pis pour la lampe. Coupure oblique, oblique... Mais c'est du toc, ce couteau. Passe-moi l'autre lame, celle-là. Étuvée. Ema? Étuvée. Voilà. Voilà, c'est mieux. Comme dans du beurre. Garder le plus de chairs molles possible. Ah, Jules, si tu cries autant, je n'y arriverai pas. Une rasade, avant que j'attaque les nerfs, une bonne rasade. Deux, tiens. Allez-y en grand, sire, avec le whisky. Ma parole, c'est toute une bouteille que vous avez là... Ema, les pinces. Voilà. Calme-toi, mon vieux, nous y sommes presque. Tourne la main vers le bas, Ema. Sire, passez-moi la scie, elle est propre? Passez-la-moi. Toujours couper l'os bien court. Il paraît qu'il repousse parfois au lieu de la peau, un désastre. Bien court, bien court, pas trop tout de même. Qu'on replace la cuiller. Elle est brisée? Changez-la. La lampe, bon sang. Ah, ce roulis... Tenez-le bien, tous les deux. Ema, garde-lui la poitrine contre le lit. Plaquée sur le lit. Il se démène, je sais, je vois bien. Assieds-toi dessus, s'il le faut. Je vais scier, Jules. Pardonne-moi, mon vieux. Grâce au ciel, il n'y a que deux os. Je commence par le radius. Dis adieu à ta main. »

Lucas, un homme de peu de mots, venait de fournir un effort aussi considérable pour parler que pour opérer. Il compléta son ouvrage en silence. Le bruit de la scie remplit l'entrepont, si familier au charpentier et pourtant, ce jour-là, si cruel. La deuxième cuiller se rompit entre ses dents.

À la fin, la main morte tomba sur le sol avec un son mat et ordinaire, le son d'un objet inutile.

Lucas cautérisa les veines, rabattit la peau sur la plaie ouverte, y plongea l'aiguille et le fil. « De la couture, murmura-t-il, épuisé. De la haute couture, Jules. »

Une fois le fil coupé, il se tint un moment près du grabat, les bras ballants, couverts de sang, la tresse mouillée. S'ils avaient été à terre, il aurait enveloppé le moignon dans une vessie de porc, pour le protéger, mais il n'avait à bord que de vieux linges bouillis. Ema épongeait la tête et le cou du charpentier qui n'était plus qu'à demi conscient. Thibault entreprit de nettoyer le plancher à grands coups de vadrouille. Il s'agenouilla pour recueillir la main coupée. Il l'emballa dans une guenille comme un bijou dans un écrin.

« On change sa chemise ? » demanda Ema.

Le corps de Jules était inerte et pesant. Ils mirent un temps fou à changer sa chemise.

« Il n'y a plus qu'à attendre, maintenant, conclut Lucas. Il reste un peu d'eau de pluie, par hasard ? Je compte sur toi, Ema. Fais-le boire toutes les heures. »

Il se pencha sur le malade. « Et toi, Jules. Ne nous claque pas entre les doigts. »

Il referma la trousse et jeta un regard sur le patient aussi pâle que sa chemise propre. Il prit le petit paquet que lui tendait Thibault et disparut.

Il se rendit sur la dunette. Il observa un moment le sillage du navire, puis y jeta la main morte.

Les requins n'en feraient qu'une seule bouchée.

***

Ce soir-là, Thibault se frictionna à l'eau de mer et au savon blanc pour effacer l'odeur pestilentielle de l'entre-pont collée à ses vêtements, à sa peau. En vain.

Il ne toucha pas à son riz blanc et se coucha tôt. Il mit du temps à trouver le sommeil. Il cherchait à se concentrer sur le bercement des vagues qu'il aimait tant et dont il se passait à grand-peine une fois sur la terre ferme. Mais c'était en vain. Il ne cessait d'entendre le son mat de la main qui tombait par terre. Il la revoyait, inerte, d'une terrifiante banalité.

L'odeur envahissait sa cabine. Elle entachait sa conscience. Un bon prince contente ses hommes. Quand son navire cède de partout, il les ramène à la maison.

Ema donna de l'eau douce au malade toutes les heures, pendant toute la nuit. Elle lui soutenait la tête en l'appuyant contre sa hanche. Elle portait le verre à ses lèvres, qu'elle devait entrouvrir elle-même. Son front était brûlant. Son pouls rapide, violent, faisait tressaillir sa gorge. À l'aube, elle voulut changer de nouveau sa chemise, mais dut y renoncer tant il était lourd.

C'est alors qu'elle décida de passer outre l'interdiction du chirurgien et de mettre sa propre idée en action. Elle n'allait pas assister passivement à la mort lente d'un homme qu'elle savait pouvoir sauver. Elle descendit jusqu'à la cale, dans l'obscurité, se guidant d'une main sur la cloison goudronnée. Elle trébucha contre les sacs de fèves, de fruits secs, de riz, de viande salée. Elle se cogna la tête sur une étagère. Depuis le départ précipité de Khyriol, il ne restait plus de denrées fraîches. Elle ouvrit un sac de biscuits et y plongea la main. Ils avaient la texture de cailloux poussiéreux, tendus de toiles d'araignée. Elle attendit un peu. Lorsqu'elle sentit les vers grouiller, elle sourit victorieusement.

Elle saisit une poignée de biscuits et en remplit sa petite bourse. Du bout d'un canif, elle perça des trous dans le suède. Sa bouche était sèche, sa gorge serrée. Elle savait qu'en mer, tout vol de nourriture était sévèrement puni. Elle risquait d'y laisser une main, elle aussi. Mais si le chirurgien avait voulu l'écouter, elle n'en serait pas à recueillir les vers en cachette.

La nuit était calme, le ciel ouvert sur ses constellations. Les quatre étoiles de Gloriole brillaient au sud-est : la Sagesse, la Force, la Tempérance, le Courage. C'était la constellation des souverains et l'un des plus fidèles points de repère des navigateurs. Elle les observa longtemps, sans cesser de penser à Jules, à la façon dont il prenait à l'œil nu des mesures exactes, à la façon dont le bois lui obéissait. Que devenait un homme sans son métier? Avant que le sommeil ne la gagne, elle lui porta de l'eau une dernière fois. Il lui sembla plus brûlant que jamais.

Le soleil se leva sur une nouvelle journée torride. Le gros de l'équipage s'était remis de ses crampes. Les hommes avaient les yeux cernés, le teint cireux, le pas traînant, mais cela se passait de mention, vu le rideau tiré sur Jules, au fond de l'entrepont. Ema monta à la vigie et accrocha sa bourse à un câble en plein soleil. Elle demanda qu'on n'y touche pas. Personne n'osa la contredire, après l'eau de pluie dont on s'était tant moqué.

Le chirurgien était guéri de l'intestin, mais le fait qu'une amputation ait eu lieu sans son accord lui donnait des brûlures d'estomac. Lorsqu'il examina le charpentier, il constata que la suture de son moignon s'était remplie de pus et que la peau était rougeâtre jusqu'au milieu de l'avant-bras.

« Lucas! » hurla-t-il.

Lucas, épuisé par ses trois quarts consécutifs, se réveilla en sursaut. Il traversa l'entrepont en passant sa chemise. Le chirurgien, furibond, lui montra la chose.

« Alors? Alors? » rageait Louis.

L'infirmier, oppressé par l'angoisse, revit les chairs molles de la veille. À la lumière des lampes bousculées par le roulis, nul n'aurait su en dire la couleur exacte. Sûrement, la gangrène s'y était déjà logée et il ne s'en était pas aperçu.

« Alors ? Alors ? Regarde ! Regarde-moi ça ! »

« J'ai coupé trop proche du poignet », murmura Lucas, dévasté.

Ils savaient aussi bien l'un que l'autre que Jules allait y passer, à moins qu'on ne recommence tout, en partant, pour être sûr, du biceps. Mais allait-il survivre à une seconde amputation ?

C'est à ce moment-là qu'Ema se pointa avec son verre d'eau.

« Ça va mal, pas vrai ? »

« *Très* mal », gronda Louis.

Il l'aida à soutenir la tête de Jules pendant qu'elle forçait l'eau entre ses lèvres pâles. Une goutte roula jusqu'au menton. Elle hésita, puis, regardant le chirurgien bien en face, elle risqua :

« Vous vous souvenez que je vous ai parlé des vers… »

Le chirurgien grimaça et leva une main en signe de protestation.

« Ah non, le mousse ! Ne recommence pas avec cette histoire ! »

« Quelles sont ses chances de survie, maintenant ? »

« Elles sont presque nulles », siffla le chirurgien entre ses dents, en fusillant Lucas du regard.

« Eh bien, nous n'avons rien à perdre. »

« Ema, des *vers* ! s'indigna le chirurgien. Ils vont grouiller sur sa plaie, le dévorer vivant ! Ce n'est pas un martyr, tout de même. »

« Il souffre déjà le martyre, si vous voulez mon avis. »

Elle lui tourna le dos. Juste avant de disparaître derrière le rideau, elle ajouta :

« Mais vous ne voulez pas mon avis. »

« Qu'est-ce que c'est que cette histoire de vers ? » demanda Lucas quand elle fut sortie.

« Médecine tribale, si tu veux mon avis. Il crispa la mâchoire. Mais, de toute évidence, tu te fiches bien de mon avis. On ne serait pas dans cette merde si tu avais pris la peine de me consulter. »

« Mais Louis… » se défendit Lucas.

« Dégage », coupa le chirurgien.

Le jour avançait, la chaleur était écrasante, et la mer aussi plate qu'un miroir. Le prince descendit prendre des nouvelles du malade et le chirurgien lui répondit par une tirade contre l'infirmier.

« Mais Louis… » riposta Thibault, qui ne voyait en Lucas qu'un exemple de courage.

Le chirurgien ouvrit la bouche. Ne pouvant dire au prince de dégager, il quitta lui-même l'infirmerie.

Au repas du midi, dans la puanteur de l'entrepont, les hommes tripotaient leur nourriture sans grand appétit. L'amiral, qui avait passé la matinée à attendre en vain quelque friselis à la surface de l'eau, répétait, les bras croisés : « Pet de mouche, oui, même pas… de pou, peut-être… » Plutôt verdâtre lui-même, de mauvaise humeur, il maudissait une fois de plus les tropiques. Le second lui opposa qu'il avait pourtant toutes les raisons d'espérer un grain, puisque « les tropiques étaient aussi volages que les gens de Khyriol ». Les hommes ricanèrent dans leur bol, l'amiral pinça les lèvres. Il prit une fois de plus la résolution de manger seul, dans sa cabine, pour le reste du voyage.

Ema avala son repas en vitesse, puis rendit visite à ses biscuits. Avec le soleil au zénith, l'ascension lui sembla interminable. Mais, en décrochant la bourse, elle vit que les vers avaient déjà grandi et qu'ils étaient nombreux. Grouillants, même, en pleine santé. Il ne lui restait plus qu'à convaincre le chirurgien.

Elle revint à la charge aussitôt qu'elle le repéra. Il déambulait sans but sur le pont principal et manqua de tomber par l'écoutille ouverte. Dans son tourment, il s'en prit à elle. Il s'emporta si violemment que les autres leur jetaient des regards intrigués. L'infirmier, en devinant qu'il s'agissait encore des vers, fit mine de s'approcher.

« Ne te mêle pas encore de ce qui ne te regarde pas, Lucas Corbières ! Je t'ai dit de DÉ-GA-GER ! Une fois pour toutes ! » cria le chirurgien.

« Mais, enfin, qu'est-ce que tu lui veux, à Ema ? » demanda Lucas.

« Elle insiste pour soumettre Jules à un traitement si dégradant... »

Guillaume Lebel, responsable de maintenir l'ordre, s'approcha à son tour.

« Traitement dégradant ? intervint-il. Pire que les toiles d'araignée que tu m'as fourrées dans le nez quand j'avais la sinusite ? »

« Les toiles d'araignée, Guillaume Lebel, c'est prouvé, c'est efficace. Mais qu'elle me laisse en paix avec ses potions d'indigène ! »

« Tu la traites d'indigène ? Louis ! s'écria le second. Si l'amiral t'entend, c'est par-dessus bord... »

« Par-dessus bord, mon œil, ricana le chirurgien. Comment vous passeriez-vous de moi ? »

« Assez bien, il me semble », laissa échapper Ema.

Le chirurgien lui lança un regard si furieux qu'elle crut qu'il allait la prendre à la gorge.

Un petit groupe se formait autour d'eux. La mer étant bien plate, tout divertissement était le bienvenu.

« Moi, je vais chercher le Thibault », décida l'infirmier.

« Mais qu'est-ce qui se passe ici ? » fit justement derrière lui la voix du prince.

« La gueuse, répondit le chirurgien en montrant Ema du menton, critique ma science et insiste pour soumettre Jules à des traitements répugnants. Humiliants, pour tout dire, sire mon prince. »

« Vraiment ? s'étonna le prince d'un air amusé. Pourtant la gueuse a bien rendu service à Jules, hier. J'en suis témoin. »

Le chirurgien serra les dents.

« Sire, intervint Ema, Jules va mal. L'infection est restée dans son bras. Et je connais un remède. Un remède qui, ajouta-t-elle en jetant un regard désapprobateur au chirurgien, aurait même pu lui épargner l'amputation. »

« L'impertinente ! C'est faux ! s'emporta le chirurgien. Rien ne pouvait lui épargner l'amputation ! L'amputation était vitale et urgente ! »

« Ah? Parce que tu me donnes raison d'avoir procédé? » fit Lucas.

« Jamais plus je ne te donnerai raison, Lucas Corbières, rétorqua le chirurgien. Jamais! »

« Louis, calme-toi, enfin, s'interposa Thibault. Qu'on finisse par connaître le fameux remède. Ema? »

« Les vers des biscuits, sire », révéla Ema avec un sourire désarmant.

Une rumeur de dégoût parcourut l'assemblée.

« Je vous l'avais bien dit, lança le chirurgien. Sorcière, va. Nous croyions avoir tout vu, hein? Les divinités pour chacun des organes, les danses effrénées pour guérir les fièvres, le vilebrequin dans le crâne pour laisser s'échapper les mauvais esprits, les chirurgies cardiaques à mains nues! Eh bien non! Les vers, maintenant. Foutaises de primates. »

« Oh, doucement, Louis », l'avertit le prince.

« Les vers tuent, sire, c'est bien connu. Ils vous mettent l'intestin en bouillie, comme chacun à bord a pu le constater. »

« Mais il y a autant de sortes de vers qu'il y a de sortes d'hommes, lui opposa Ema. Tout dépend de ce qu'ils mangent. »

Le chirurgien serra de nouveau les dents.

« Je ne comprends pas, commença Ema, sincèrement surprise, je ne comprends pas comment vous ignorez ce fait. C'est de la simple médecine de champ de bataille. »

« C'est que nous n'avons jamais eu de champs de bataille », remarqua Thibault.

« Vraiment ? » s'étonna Ema.

« Pierre d'Angle est un royaume neutre. Le seul de tous les Territoires Nordiques. »

« Oui, mais… Pas même une guerre, sire ? Une toute petite guerre ? »

« Pas une seule. »

Ema en perdit un moment le fil de sa pensée.

« Eh bien, dans ce cas…, finit-elle par reprendre. C'est tout simple : les vers adorent les chairs mortes. Ils les sucent. Tant qu'il y a des chairs mortes, ils laissent les chairs saines tranquilles. »

« Des preuves ! Nous voulons des preuves », gueula le chirurgien.

« Des hommes et des chevaux abandonnés dans les champs avec leurs plaies ouvertes s'en sont mieux sortis que ceux qu'on avait soignés », répondit simplement Ema.

« Fascinant… » commenta Thibault.

« Répugnant ! » fit le chirurgien.

« Avons-nous les vers ? » demanda Thibault en cherchant des yeux le cuisinier.

« Vous n'y pensez pas, prince », fit l'amiral, qui avait jusque-là évité de se mêler du débat.

Ema montra du doigt la cime du grand mât. Tout l'équipage leva la tête, en attente d'une apparition.

« Ils mangent des biscuits au grand soleil, sire. »

« Des biscuits ? Là-haut ? Oh, la voleuse ! s'indigna le cuisinier. Qu'on la châtie ! »

« Change de ton, cuisinier », intervint Guillaume Lebel.

« Qu'on la châtie ! » renchérit le chirurgien.

« Jules est en train de mourir, coupa Ema. Vous n'avez rien à perdre. Sinon l'occasion d'une autre amputation et, sincèrement, je doute que… »

Elle n'osa pas terminer sa phrase. Un silence pesant s'installa, que Thibault rompit :

« Allons, Louis. Nous avons un malade, un remède, il nous manque tout juste un peu d'humilité. Où sont les vers ? Je veux bien voir les vers. »

Il renvoya les hommes à leur tâche et attaqua la montée. À mi-chemin, il était détrempé de sueur. Lorsqu'il ouvrit enfin la bourse, les biscuits avaient disparu sous la multitude grouillante de vers.

« Fantastique », murmura-t-il, en s'étonnant que ces créatures puissent autant l'inspirer.

Le chirurgien, faisant preuve d'humiliation plus que d'humilité, se soumit aux volontés du prince. La suture du moignon avait lâché sous la pression du pus, laissant une plaie béante. Ema, sans cesser de leur parler gentiment, y déposa les vers. Elle avait pris au tonnelier l'un des linges de tulle avec lesquels il filtrait si mal son eau. Elle en fit un bandage qui les tiendrait captifs, sans les étouffer. « Une sorte de cage », expliquait-elle, comme s'il s'agissait d'un élevage de volaille.

En soirée, déjà, Jules disait avoir moins mal.

« Ça chatouille, c'est tout ».

Sa fièvre baissait, son teint s'améliorait. Les vers gavés de chairs mortes grandissaient à vue d'œil. Il fallait les changer tous les deux jours. Au bout de neuf jours, la plaie était rose comme la peau d'un bébé. Le chirurgien fit demander à Ema, par l'intermédiaire de Lucas, si elle voulait bien lui servir d'assistante pour le reste du voyage.

CHAPITRE V

Ils surent que l'*Isabelle* s'apprêtait enfin à quitter les tropiques lorsque cessèrent les mirages du couchant. Plus de cités d'ambre aux fontaines dorées ni de dômes mouvants entre tours et flèches. Le ciel d'ouest se parait plutôt d'une ligne d'un beau vert profond, infiniment reposant. Une brise aimable rampait alors jusqu'à eux, comme à bout de souffle. Ce filet hésitant de fraîcheur ne les trompait pas. De jour en jour, il leur redonnait du cœur à l'ouvrage. L'*Isabelle* mettrait plus ou moins deux autres semaines à pénétrer dans les eaux des Territoires Nordiques. La frontière était reconnaissable à une longue avancée rocheuse en forme de tortue qu'on appelait le Cap Mauvais, pour faire peur aux ennemis. La ruse était connue de tous, mais le nom subsistait.

Le temps était venu, pour le prince, de ranger pour de bon son routier. Il s'agissait d'une carte maritime à échelle si petite qu'on pouvait y voir la moitié d'un océan. Elle ne lui servirait plus, et il soupira en la mettant de côté. Dès qu'ils passeraient le Cap Mauvais, leur monde allait se rétrécir, ils navigueraient en zone connue. La chaleur harassante n'était rien en comparaison des escales diplomatiques qui l'attendaient.

Une autre chose encore tracassait Thibault. Après l'épisode de l'amputation, une idée peu orthodoxe avait pris racine en lui. Comme c'était souvent le cas, elle ne voulait plus s'en aller. Malgré sa nature impulsive, il y avait mûrement réfléchi, sans oser s'en confier à personne. Il avait, d'ailleurs, plusieurs fois changé d'avis. Il croyait être enfin parvenu à une décision. Avant d'osciller encore, il avait fait demander à Ema de se présenter au carré le soir même.

Il passa une bonne partie de l'après-midi à la proue. Une fois le soir tombé, il changea encore trois fois d'opinion. Mais il était trop tard : il avait fait appeler Ema, il devait lui parler, c'était chose faite. Il avait l'impression d'être sur le point de se jeter du haut de la vigie.

Il arpentait le petit carré à grands pas lorsqu'elle cogna à la porte.

« Entre, moussaillon. »

Elle entra. Ses culottes de chanvre étaient élimées aux genoux, sa chemise de coton trouée aux coudes. Ses cheveux repoussaient comme ils avaient été coupés, c'est-à-dire n'importe comment. On aurait dit que le vent y était logé en permanence. Elle lui fit un grand sourire.

De peur que tout ne chavire dans la transparence du cristal, il gardait le bout de ses dix doigts posé sur la table, pour rester en contact avec sa surface ferme et solide.

« Assieds-toi, je t'en prie », fit-il. Et, sans lui donner le temps de s'asseoir, il enchaîna : « Je voulais t'informer que les Territoires Nordiques seront bientôt en vue. »

Il tourna la carte maritime vers elle.

« Plus nous approcherons du nord, moins il nous sera possible de rester au large. Nous ne pouvons pas frayer dans les eaux des Territoires Nordiques sans que je rende hommage à leur monarque. Je créerais un incident diplomatique. »

Ema leva sur lui un regard interrogateur.

« On dit que tu te débrouilles bien avec tout ce qui t'est confié, dit-il. Qu'on a même fini par te faire infirmière. »

« C'est grâce aux vers, sire. »

« Les vers ne me seront d'aucun secours dans les soirées mondaines. J'ai autre chose à te demander. »

Il hésita un moment, changea encore d'idée, puis se jeta sans filet de la vigie :

« Sais-tu danser, Ema ? »

« J'ai survécu en dansant, sire. »

Thibault fronça les sourcils.

« Je croyais que c'était en écrivant des lettres ? »

« C'est en écrivant des lettres, en mentant, en trichant, en volant que j'ai survécu. En me hissant sur un bateau, en me cachant dans la cale. Sire. »

Elle regretta tout de suite d'en avoir trop dit sur elle-même. Thibault se sentit oppressé. Il ignorait ce qui le troublait le plus : la force d'Ema, sa vulnérabilité, ou le mélange des deux.

« Eh bien, fit-il. Tu peux survivre à ta guise maintenant. Sans mentir, ni tricher, ni voler. »

« Et vous, sire ? » demanda-t-elle d'un ton ironique qui le prit au dépourvu.

« Moi ? Moi non. Moi je n'ai pas le choix. Il me faut constamment danser dans les cours étrangères. Constamment discuter de potins insipides, de politiques suspectes, de protocoles exécrables. En plus, on me propose les fiancées les plus improbables pour faire alliance avec Pierre d'Angle. »

« Je vois. Et vous êtes bon danseur ? »

Thibault nota l'absence du mot de quatre lettres qui les tenait habituellement à distance l'un de l'autre. Il se sentit infiniment soulagé.

« Plutôt médiocre », avoua-t-il.

« Alors c'est d'accord. »

« C'est d'accord ? »

« Oui. »

« Vraiment ? »

« Vraiment. »

« Merci. Merci, Ema. »

Elle inclina la tête. Et, bien qu'on lui eût répété qu'elle ne pouvait prendre congé du prince avant qu'il ne l'y invite, elle se leva et sortit. Elle voulait à tout prix éviter qu'il ne remarque à quel point sa requête l'avait comblée.

***

Peu à peu, le filet de fraîcheur se fit plus insistant. Il se faufilait même à bord un peu avant le dernier rayon du soleil et s'attardait bien après l'aube. Les quarts de nuit cessèrent d'aller nu-pieds. Quelques jours plus tard, l'*Isabelle* franchit le Cap Mauvais. En préparation de Vergeray, Thibault fit faire une escale dans un port secondaire. Il fallait urgemment réparer la bôme du mât de misaine. Les barriques étaient presque à sec, on n'en pouvait plus des fèves mal cuites, et il devait se munir des cadeaux d'usage. Il se disait aussi qu'Ema ne pouvait pas l'accompagner en tenue de mousse. Cette question l'embêtait et il finit par s'en ouvrir à l'amiral. Albert Dorec, indigné, demeura bouche bée un long moment avant de s'écrier :

« Mais, mon prince, vous n'y songez pas ? L'étrangère ? Votre escorte ? »

« C'est tout décidé, amiral. Il ne nous manque qu'une tenue décente. Je compte sur vous. »

« Sur moi ? Mais, sire… Je… Je n'y connais rien ! »

« Vous savez très bien que je ne peux me permettre de descendre moi-même sans devoir m'adonner à tout le patatras. »

« Faites descendre Ema, sire, s'il s'agit de l'habiller. »

« Mais Dorec, vous l'imaginez s'informer d'une robe de bal dans son accoutrement de marin ? On va la prendre pour une voleuse. On va l'arrêter, à coup sûr. »

« Mais pourquoi moi ? Sire, vraiment… »

« Vous allez mettre votre uniforme de capitaine, descendre tête haute et prétendre que vous cherchez un cadeau pour votre épouse. Emmenez Félix, si vous voulez. »

L'amiral, saisi de doutes atroces, se confia à son second. Guillaume pensa lui aussi qu'on devait prendre l'avis de Félix ; flatté, le timonier insista pour que toute consultation ait lieu en présence du prince. Les quatre hommes s'accordèrent sur le fait que les femmes de Pierre d'Angle choisissent presque immanquablement des vêtements de la couleur de leurs yeux. Pourtant, ils n'arrivaient pas à s'entendre sur la couleur de ceux d'Ema. Thibault fut surpris de la passion qu'ils mirent à traiter un tel sujet.

« Mais gris, je vous dis », répétait Félix, de plus en plus impatient.

« Mais tu es daltonien, ou quoi ? s'emportait l'amiral. Ils sont bleus. »

« Bleus ? s'étonnait Guillaume. Non non. Ils sont bruns. »

Thibault, qui croyait pourtant que les yeux d'Ema étaient verts, n'osa pas s'interposer. Il proposa qu'on l'habille de rouge.

« Bon. Si c'est là votre souhait, sire… » firent les trois hommes, un peu déconfits.

« Rouge, confirma Thibault d'un ton qu'il voulait assuré. Je compte sur vous, Dorec. Trouvez-lui quelque chose. »

Dorec se sentit couler de l'intérieur. Jamais on ne lui avait confié de tâche plus titanesque. Pour la première fois de toute sa carrière, il souhaita que son épouse fût à bord. Gwendoline aurait su quoi faire.

Les choses s'arrangèrent pourtant mieux qu'il ne l'aurait cru. Félix, enthousiaste, fit un examen préliminaire de la petite ville portuaire et finit par jeter son dévolu sur une boutique minuscule du marché couvert. Il eut l'idée que le buandier les accompagne au moment de l'achat. Il s'y connaissait, sinon en styles, du moins en tailles. L'amiral dénoua enfin les cordons de la bourse pour acquérir une robe de soirée d'un rouge profond, de coupe sobre, dans une soie pure.

« Votre épouse a bien de la chance », lui glissa la vendeuse en battant des paupières et en lui effleurant furtivement la main.

Il devint aussi rouge que la robe.

***

L'*Isabelle* mouilla au port de Vergeray très tôt le matin. Le géologue et le second furent mandés pour annoncer à la cour la visite du prince de Pierre d'Angle. Ils endurèrent une interminable attente dans un salon surchargé de motifs floraux. Enfin, il leur fut dit que le roi de Vergeray se réjouissait de cette visite et qu'il invitait le prince, escorté à sa guise, au bal qui aurait lieu le lendemain soir. L'*Isabelle* pouvait accoster directement aux quais. On enverrait la garde royale à leur rencontre.

Félix passa une partie de la journée du lendemain à gambader dans les champs pour cueillir des fleurs fraîches. Les boucles d'Ema étaient si serrées que les fleurs y tiendraient toutes seules. Il eut aussi l'esprit de s'apercevoir qu'ils avaient omis de la chausser. Le trio débarqua pour une nouvelle expédition, au grand dam de l'amiral. En présidant aux retouches ultimes, Félix trouva que les poignets marqués d'Ema détonnaient avec le reste de sa tenue. Il s'en alla fouiller dans son coffre personnel. Sous les dix volumes de son journal intime était rangée sa réserve de bracelets. Il y choisit deux bandes d'argent souple, les fit briller en les frottant vigoureusement sur sa manche et les ajusta sans rien dire aux poignets d'Ema.

Le soir venu, l'équipage se rassembla sur le pont principal. Ils portaient tous la vareuse propre qui marquait leurs sorties à terre et, pendue à la ceinture, leur grenouille remplie de bonnes pièces sonnantes et de grains de poivre. Ils avaient tiré à la courte paille pour savoir qui resterait à bord. Dès que le carrosse partirait vers le palais, les autres s'en iraient festoyer. Même le charpentier serait de la partie.

Thibault ne tarda pas à les rejoindre. Il chaussait la seule paire de bottes voyageant à bord de l'*Isabelle*, d'un beau cuir souple et ambré. Rechignant toujours à s'affubler d'une cravate lavallière, il se contentait d'une chemise blanche au col ouvert. Par-dessus, il portait un justaucorps, une veste ajustée à la taille et retombant jusqu'à mi-cuisse. Le renard de Pierre d'Angle était brodé sur le revers des poches et des manches évasées. La coupe était parfaite et sobre, l'étoffe foncée. Son teint en paraissait plus hâlé, ses yeux plus pâles, sa taille plus haute. Il avait fourni un effort visible pour dompter ses cheveux, qu'il avait oublié de faire passer au scalpel.

La transformation du Thibault en un prince véritable coupait toujours le souffle à ses hommes. Son allure naturelle, si dépourvue de prétention, les faisait se sentir eux-mêmes ennoblis. Ils étaient préparés à son apparition, mais celle d'Ema les prit de court. Elle émergea de l'entrepont avec une grâce qui leur avait, jusque-là, échappé. Sa robe rouge lui faisait comme un gant. Félix joignit les mains de ravissement en voyant l'effet de sa coiffure.

« Il ne nous manque que la guitare », chantonna-t-il.

Comme tous les autres, il était médusé. La fille qui avait su, au fil des semaines, se faire respecter dans des conditions difficiles, qui avait travaillé autant qu'eux, moins dormi, plus appris, et qui les massacrait au poker : ils s'étaient bel et bien convaincus qu'elle était, après tout, un garçon. Le quart de nuit s'était parfois attendri à l'observer dormir dans son panier de cordage, mais en avait chassé le souvenir dès le lever du jour.

Thibault lui offrit le bras. Elle y posa une main hésitante. Sans un mot, l'équipage les regarda descendre. Le gamberet lui-même semblait devenu un tapis rouge et l'odeur du varech, un parfum de qualité. Cet instant magique ne dura pas. Dès qu'Ema toucha la terre ferme, après soixante-huit jours de mer, elle eut l'impression que le quai tanguait et elle se mit à tituber.

« Mal de terre », sourit Thibault en la soutenant par la taille.

Les marins sifflèrent dans leur dos.

***

Ils furent reçus à la cour de Vergeray par le roi en personne, un homme ventru au teint couperosé, à la voix puissante et aux propos peu subtils. Il avait l'air d'un tenancier d'auberge. À ses côtés, sa reine poudrée restait aussi immobile qu'un vase de nuit. Le roi tonna :

« Prince Thibault de Pierre d'Angle ! J'avais souvenir d'un gamin en culottes courtes et vous voici un homme fait, et grand gaillard, ma foi ! Longue vie à l'amitié entre nos deux royaumes ! Alors, dites-moi donc des nouvelles de votre famille. Votre père va bien, à ce qu'on me dit, ainsi que son épouse, que je ne connais guère. Et votre frère ? Que fait donc votre frère ? Nul ne le voit, nul ne l'entend... »

« Je ne l'ai pas vu moi-même depuis une mèche, Votre Majesté, je ne sais que répondre. »

« Ah ! Prince Thibault, vous vous absentez trop de chez vous. » Il prit un ton faussement confidentiel et jeta un coup d'œil lubrique à Ema : « Je vois d'ailleurs que vous naviguez passionnément... » Et il éclata d'un rire tonitruant.

« Par pur intérêt scientifique, Votre Majesté, répliqua Thibault. Laissez-moi vous présenter mademoiselle Ema Beatriz Ejea Casarei, une connaissance de la cour de Pierre d'Angle que l'*Isabelle* est chargée d'accompagner jusqu'au royaume-mère de Virage. »

« Eh bien, mademoiselle, fit le roi, j'entends que Virage ne s'en portera que mieux. »

Ema souriait poliment. Dès qu'ils furent enfin remplacés auprès du roi par de nouveaux arrivants, elle dit à voix basse :

« Vous mentez mieux que je ne l'aurais imaginé, mon prince. »

« Seulement en cas d'extrême nécessité. »

« Je vois, sire, de quelle sorte de nécessité vous voulez parler. »

Elle fit un geste large qui embrassait les colonnes doriques aux guirlandes de fleurs artificielles, entre lesquelles se pavanait une orgie de paillettes. Les rires faux enterraient les efforts de l'orchestre. Personne ne conversait sans aussi observer ce qui se passait par-dessus son épaule.

« Une seule parole vraie ferait s'écrouler la salle, j'en ai bien peur, confirma Thibault. Venez, Ema, regardez-moi ce buffet. Je me demande s'il s'agit de nourriture véritable. »

« Vous me vouvoyez maintenant, sire ? »

« Mais bien sûr. Le moussaillon est resté sur le bateau. Il roupille entre deux cordes. »

Comme elle ne réagissait pas, il ajouta :

« Et vous pouvez m'appeler par mon nom, pour faire changement. »

« Évidemment… Thibault. Le sire est à faire semblant de jouer aux échecs sur sa chaise d'ébène. »

Il la mena vers l'autre bout de la salle, où des tables croulaient de denrées plus spectaculaires les unes que les autres. Il avait déjà l'œil sur une meringue glacée, elle contemplait une oie farcie. Après des semaines de beurre rance, ils en salivaient. Ils eurent pourtant un mal fou à atteindre leur but. Thibault dut présenter mademoiselle Ema Beatriz Ejea Casarei à une marée de personnages fardés. Il les connaissait aussi bien par leur nom et leur titre que par leurs accointances. Ema fut impressionnée par un savoir encyclopédique aussi superflu. Elle se demandait s'il lui restait de la mémoire pour quoi que ce soit d'autre.

Ils endurèrent chaque fois un bavardage vide de sens ponctué de sourires malveillants. En s'éloignant d'une comtesse, ils entendirent murmurer dans leur dos : « On sait bien que Pierre d'Angle n'a aucun respect pour la pureté de son sang. » Thibault, consumé par la honte, mena vivement Ema au centre de la pièce, où des couples venaient de se mettre à danser.

Il posa une main sur sa hanche. Ce geste pourtant si simple le jeta dans une grande confusion. Il ne s'était senti ainsi qu'une seule fois auparavant, lorsque l'*Isabelle* avait été attirée dans l'œil d'un cyclone. Il revit tout dans le moindre détail. La pénombre soudaine. L'air frais, parfaitement immobile. Tout autour, un mur compact de nuages crémeux. Les vagues prodigieuses se formant à la base du cylindre et s'acheminant lentement vers le centre. Le navire hissé vers une fenêtre incongrue de ciel bleu. La main sur la hanche d'Ema, Thibault restait figé sur place dans l'attente d'une vague invisible.

Ema sentit son trouble et décida de l'entraîner dans la musique. Ses yeux brillaient, décidément verts. Elle dansait avec une joie contagieuse, fluide, désinvolte.

Elle dansait avec l'aisance et la précision d'une araignée qui tisse sa toile – ce qui laissait Thibault dans le rôle de l'insecte.

« Pardonnez-moi, Ema, finit-il par lui dire entre deux mouvements. Cette compagnie est mauvaise, je n'aurais pas dû vous l'imposer. »

« Vous n'avez rien à vous faire pardonner. Ces gens ne vous ressemblent pas. Rien, ici, ne vous ressemble. »

« Même pas l'oie farcie ? »

« Tout juste la meringue. »

Cependant, l'oie et la meringue avaient perdu de leur intérêt. Ema et Thibault dansèrent jusqu'à tard dans la nuit, incapables de s'arrêter. Tout le temps que le prince la tenait dans ses bras, elle oublia l'incertitude dont sa vie était faite. Avec le talent particulier de ceux qui ont beaucoup souffert, elle n'exista que pour et sur le plancher de danse, comme si rien ne l'avait précédé ni ne le suivrait. Tout le temps qu'il tenait Ema dans ses bras, il oublia la promesse de s'informer de sa petite sœur. Il oublia aussi le prix qu'il aurait à payer pour son manque de civisme.

De fait, le roi avait espéré engager une conversation avec lui en vue de s'allier la faveur d'Albéric pour un de ses projets commerciaux. Au moment du départ, il congédia Thibault d'un aigre : « J'espère que notre fête vous a plu, *elle aussi.* » Le prince remâcha ces paroles pendant tout le trajet du retour. Les roues du carrosse semblaient les répéter à l'infini, les faire parvenir aux oreilles de son père, attirer les reproches du Conseil, entraver les échanges entre Pierre d'Angle et Vergeray.

« Vous ne dites rien, Ema ? » demanda-t-il dans le seul but de rompre ce vacarme.

« Je ne savais pas que vous aviez un frère, Thibault. »

« Un demi-frère. Il soupira. Une vraie peste. »

Il n'avait pas tellement envie d'en dire plus. Deux mois à peine après la mort de sa mère, alors que tous s'attendaient à ce que le roi Albéric porte le deuil pour le reste de ses jours, il s'était épris d'une femme mystérieuse qu'il avait épousée sur-le-champ. Elle lui avait donné un fils au caractère exécrable.

« Comment il s'appelle ? »

« Jacquard. »

Le seul nom de son frère mettait Thibault sous tension. Il ne l'avait jamais compris. Chaque fois qu'il rentrait de voyage, il voyait l'adolescent colérique devenir un jeune homme sombre et indéchiffrable. Jacquard se plaisait dans les sports extrêmes et solitaires. Il prenait tout particulièrement goût aux épreuves de force. Il était devenu un archer exceptionnel à force de s'en prendre à des bottes de foin, et pouvait toucher une cible les yeux bandés. Il se flanquait d'un gros chien, Styx, la terreur de la cour. On ne lui connaissait pas d'autre ami.

Voyant Thibault peu bavard, Ema changea de sujet.

« Je vous remercie, Thibault. »

« Et de quoi ? Je n'ai même rien fait pour retrouver votre sœur. »

« Non. Mais vous avez fait beaucoup pour que je retrouve autre chose. »

Il se tourna vers elle d'un air interrogateur.

« J'ai compris que tous ces gens sont puissants, expliqua Ema, mais que moi, je suis libre. »

Les roues reprirent leur vacarme obsédant. Elle regardait au loin par la fenêtre. On voyait déjà les torches du port, les navires amarrés et la mer au-delà. Elle ajouta, comme pour elle-même :

« Je ne me suis même jamais sentie aussi libre de toute ma vie. »

Il repensa aux marques sous les bracelets d'argent. À la façon dont elles lui avaient rappelé des chaînes, lorsqu'il les avait vues pour la première fois.

« Thibault, reprit-elle, je vous ai vu tranquille sur une mer démontée. Pourquoi vous troubler des commentaires d'un roi ivre ? »

« Je l'ignore, Ema. J'ai toujours préféré être prince en pleine mer. »

« Plus homme que prince, en d'autres mots. »

« Probablement. »

« Tout ça me donne l'impression d'un grand casse-tête, observa Ema. Plus le morceau est gros, mieux il doit s'encastrer dans les autres. »

Thibault pondéra l'image du gros morceau sans la commenter.

Le quart de veille les accueillit sur le pont principal. Le prince salua et se dirigea droit vers sa cabine. Ema s'enfonça dans l'entrepont en remontant sa jupe pour prendre à reculons les marches étroites, sorte de mutation de l'escalier en échelle.

Dix minutes plus tard, penché sur une casserole de la cuisine, le prince s'empiffrait de ragoût de lentilles froides. Les fêtards manquaient encore, et il espérait passer inaperçu. C'était peine perdue : Ema s'amenait derrière lui avec la même intention.

« Il y a aussi du pain sec, sire », dit-elle en le faisant sursauter.

« Pas de refus, moussaillon », répondit-il en échappant la cuiller.

Ils vidèrent avidement la casserole, puis se mirent à bâiller d'épuisement. Il monta à sa cabine et s'endormit tout habillé, tandis qu'elle pliait soigneusement ses vêtements de bal et les rangeait dans un coin de l'entrepont.

CHAPITRE VI

Au déjeuner du lendemain, les hommes ne se gênèrent pas pour embêter Ema. Les coudes sur la table, la bouche pleine, ils exigeaient un rapport complet sur la soirée et voulaient enfin tirer au clair la question la plus épineuse au sujet du prince :

« Il danse bien ou non, le Thibault ? »

« Mais cessez de l'appeler *le Thibault* ! » s'énerva l'amiral.

« Le prince, il est bon danseur ou non ? »

« Excellent », déclara Ema d'un air embarrassé, ce qui fit redoubler les rires.

« Mais laissez-la en paix, pauvre petite, rebattait l'amiral, qui connaissait trop bien l'inconfort des bals royaux. Elle a suffisamment souffert comme ça. »

« Souffert ? À coups de caviar et de crème caramel, oui ! »

Les rires devinrent tonitruants.

L'amiral échangea un coup d'œil avec son second. Guillaume ne riait pas, il avait l'air agacé. Lucas, lui aussi, semblait gêné ; il n'avait que de l'admiration pour Ema. Le géologue ne s'abaissait jamais à ce genre de discussion. Quant au chirurgien, il avait eu sa leçon et préférait ne pas s'en mêler. C'est Félix qui remarqua d'un ton léger :

« Oh là là, mais qu'est-ce qu'il y a de mal à s'offrir une valse avec un prince aussi charmant que le nôtre ? »

« Ben toi, la timonière… » laissa échapper un gabier.

« Répète un peu ? Répète ? » gronda Félix en remontant ses manches.

« Vous allez tous finir par-dessus bord », s'interposa l'amiral en frappant des deux poings sur la table.

« Et une pâte d'amandes, avec ça ? » fit le buandier.

« Un biscuit ! Un biscuit ! Un biscuit ! » entonnèrent les hommes.

« Très bien, j'en ferai rapport au prince », soupira l'amiral, ce qui acheva de les faire s'écrouler de rire.

Il se promit une fois de plus de manger désormais au carré, comme tout amiral qui se respecte, et jeta un regard désolé sur Ema, cachée dans le bol gravé à ses initiales. Il fonça sans attendre vers la cabine du prince. Thibault en émergea, hirsute, la chemise ouverte.

« Les hommes ont changé de cap, sire, chargea-t-il. Ils ne reconnaissent plus Ema. Ils sont mal à l'aise avec elle. Ils vont tenter de l'expulser comme la peau rejette une écharde. »

Thibault soupira. Il avait vu venir la chose. C'est ce qui l'avait tant fait hésiter à demander qu'elle l'accompagne à terre. Il avait bien essayé, pourtant, de la voir en garçon. Était-il donc le seul à n'avoir pas réussi ? Comme pour confirmer ses craintes, l'amiral enchaînait :

« Les hommes avaient, comment dire, un camarade et, vous, sire, vous en avez fait une... une femme, voilà. »

« Elle était déjà femme avant-hier, Dorec, ne faites pas l'innocent », protesta Thibault.

« En tout cas, ils lui feront la vie impossible, mon prince, ça je vous le garantis. Une femme à bord, c'est la malchance en mer ! Déjà que Félix s'en est sorti de justesse... »

« Il s'en est sorti, c'est ce que nous devons retenir... »

« En toute franchise, sire, j'imagine mal Ema étriquer un crocodile. »

Thibault se gratta la tête. L'amiral reprit :

« Je ne vois qu'une solution, mon prince, si vous permettez. La même, d'ailleurs, que je vous ai proposée au tout départ. »

« C'est-à-dire ? »

« Qu'elle descende pour de bon. Enfin, mon prince, elle doit bien descendre quelque part, non ? Elle va bien quelque part… ? »

« Je n'en suis pas si sûr », avoua Thibault.

Thibault commençait à soupçonner qu'Ema l'avait berné. Il songeait à la fillette du médaillon. La passagère clandestine affichait le même air buté le jour où les marins l'avaient trouvée dans la cale, entre un sac de pruneaux et une poche de riz. Pourtant, il repoussait le moment de tirer les choses au clair. Si Ema lui avait menti au sujet de sa sœur, il n'avait aucune excuse valide pour la garder à bord. D'une certaine manière, il chérissait le mensonge qui justifiait sa présence.

« Écoutez, sire. Il y a une autre escale après-demain. Prenez une décision. Je vous en conjure. Ou vous l'emmenez à Louvres avec vous, et vous en assumez toutes les conséquences, ou vous la congédiez pour de bon. »

Thibault, découragé, se contenta d'un signe de tête. L'amiral, craignant d'avoir exagéré, crut bon d'adoucir le ton de la conversation.

« On dit que vous êtes devenu excellent danseur, sire. Voilà qui va réjouir votre père le roi. »

« Tout est question de partenaire », répondit Thibault. Et, au souvenir de la nuit précédente, un sourire lumineux éclaira son visage.

L'amiral se renfrogna. Un tel sourire ne présageait rien de bon.

***

Ema trouva refuge à l'infirmerie, où Lucas faisait un peu de ménage. Roland, qui avait ri le plus fort au déjeuner, leur arriva bientôt en hurlant, l'épaule disloquée.

« Alors ? Cesse de brailler, lui dit Lucas, Ema va te remettre l'épaule en place. Tu te souviens, Ema, de ce que je t'ai expliqué ? C'est la première fois qu'elle remboîte quelqu'un, mon Roland. Ça tombe bien, vu qu'elle a aussi un compte à régler avec toi. »

Le gabier prit un air épouvanté. Ema fit semblant d'hésiter.

« Je ne me souviens plus très bien… J'essaie quand même, non ? Un peu de pratique… »

Elle l'installa sur un tabouret, se plaça derrière lui et, d'un geste ferme, lui remboîta l'épaule. La douleur cessa aussitôt. Roland fut si soulagé qu'il en pleurait presque.

« Voilà, fit l'infirmier. Tu as de la chance qu'elle soit douée. Repose-toi, maintenant, mais pas dans ton hamac. Pas de hamac pour trois jours. Par terre, sur le dos. »

Toute la journée, Ema se cantonna derrière la tenture. Les hommes n'y défilaient qu'avec une bonne raison. Ils avaient même souvent trop attendu. L'infirmier sauta sur toutes les occasions de donner l'avantage à son assistante. Il en faisait presque une vengeance personnelle.

« Ema va t'arracher cette mauvaise dent. C'est sa première fois. Tu veux les grosses pinces, Ema ? Elles en enlèvent deux plutôt qu'une, mais elles donnent de la prise. Ça oui, pour donner de la prise… »

« Ema déteste la couture, mon vieux, mais il faut bien qu'elle apprenne. Il ne nous reste que du fil à voilure, on va faire avec. »

« Oh là là ! Cet abcès, on le crève ou non, Ema ? Regarde-moi cette fesse… On crève. Je te passe la lame. Chauffée à blanc. »

« Ah, il faut qu'on l'enlève, cet hameçon. Comment tu as fait pour l'enfoncer si creux ? Il va falloir entailler. Ema ? Tu veux bien pratiquer les entailles ? Mais de quoi tu t'inquiètes, mon vieux ? Elle a déjà fait une amputation… »

Les hommes lui jetaient des regards misérables. Elle répondait d'un sourire magnanime.

Guillaume Lebel, dont la cabine était le lieu d'un désordre aberrant, préférait remplir son journal de bord dans l'entrepont. Toute cette comédie le divertissait beaucoup. Lorsque l'amiral lui demanda comment Ema se débrouillait, il haussa les épaules :

« Elle m'a l'air d'en avoir vu d'autres. C'est plutôt aux hommes de s'inquiéter, si vous voulez mon avis. »

« Comment ça ? »

« Demandez à la molaire du géologue. »

« Ah ? »

« Et puis, pour le volet coiffure, elle surpasse le chirurgien. Je parie que tout le monde à bord va bientôt avoir besoin d'une coupe de cheveux ou d'un bon rasage. »

« Mais ils vont y laisser d'un coup deux de leurs superstitions les plus chères… »

« Eh oui, amiral. Ils ne s'en porteront pas plus mal. »

***

Il faisait nuit noire, le ciel était pur. Le noroît soufflait, de plus en plus mordant. Ema, sur la dunette, se penchait à bâbord où s'agitaient des formes claires. Elle portait un manteau enduit de suif et de goudron qui lui tombait jusqu'aux chevilles. Ses cheveux se plaquaient sur son front, les embruns mouillaient ses joues, ses lèvres étaient gercées et brûlées par le sel. La journée avait été infiniment longue. Elle avait mangé à même le chaudron pour éviter les railleries. Elle regrettait presque d'avoir dansé si longtemps, la veille. Assez longtemps pour tout oublier et pour sentir naître, en elle, de la confiance - un sentiment insolite et dangereux que la méfiance suivait comme un chien de poche. Le retour à bord avait été brutal.

Ema ignorait s'il y avait un lieu au monde où elle se sentirait un jour chez elle, où elle pourrait n'être qu'elle-même, tout simplement, sans rien devoir cacher, sans faire semblant d'être un garçon.

À cause du vent, elle n'entendit pas Thibault s'avancer sur la dunette. Il s'appuya comme elle à la rambarde, les mains dans les poches, en laissant entre eux la distance de deux hommes. Il remonta le col de sa gabardine. En se penchant, il vit les dauphins nager le long de la coque, s'en écarter, y revenir. Ema fit un effort surhumain pour ne pas se tourner vers lui.

« On m'a demandé de prendre une décision à ton sujet, moussaillon », finit-il par annoncer.

« Ça ne m'étonne pas, sire », répondit-elle, les yeux toujours fixés sur les flots.

« Je crois pourtant que c'est à toi de décider. »

« J'ai déjà tout dit, sire. Dès que nous trouverons ma s… »

« Ema. Tu mens moins bien que je ne l'aurais cru. »

Elle accusa le coup.

« C'est qu'il n'y a plus d'extrême nécessité, mon prince. »

« Alors ? »

« Alors, sire… Elle montra les dauphins du menton. Ils jouent, vous savez. C'est beau. »

« Oui. »

« Ils seront encore avec nous, au nord, sire ? »

« Non. Ceux-ci sont probablement les derniers. »

Il attendit encore un peu. Comme elle ne disait rien, il insista.

« Il te faudra bien choisir un pays. »

« L'idée d'un royaume neutre me plaît, sire. »

« Vraiment ? Si loin ? »

Elle tourna vers lui un visage lucide.

« Loin de quoi au juste, sire ? »

La question prit Thibault au dépourvu. Il dévia un peu.

« Et l'idée de quarante jours de plus parmi les gorilles, elle est supportable ? »

« C'est le prix à payer, sire. »

« Dans ce cas… »

Il s'interrompit.

« Ema ? »

« Oui, sire ? »

« C'est toi, l'enfant du médaillon ? »

Elle fronça les sourcils et ne répondit pas tout de suite. Il attendit en faisant mine d'observer les dauphins.

« C'est moi, sire, avoua-t-elle enfin. Ma mère me l'a donné. Je ne l'ai pas revue depuis. »

Il enfonça un peu plus les mains dans ses poches. Il espérait qu'elle finisse par lui confier un bout de sa vie. Mais, lorsqu'elle ouvrit la bouche, c'était encore pour changer de sujet.

« Combien d'escales encore, sire ? »

« Trois. »

Le noroît leur sifflait aux oreilles. Ils devaient parler de plus en plus fort.

« Pardon, sire ? »

« Trois. »

La prochaine escale serait pénible. Les souverains de Louvres détestaient la musique. Par contre, ils adoraient les banquets. Ils y accumulaient les précieux ragots qui pouvaient faire matière à chantage. Ils gavaient leurs convives de plats riches et de boissons fortes pour leur soutirer des confessions.

« À Louvres, on ne danse jamais », résuma Thibault.

« J'en suis désolée, sire. Pour vous bien plus que pour moi-même. »

« Tu veux dire que tu resteras à bord ? » demanda-t-il, en essayant de cacher sa déception.

« À bord ? Oh non, sire, s'empressa de répondre Ema. Je pense au casse-tête, c'est tout. Je vous plains. »

Thibault éclata d'un grand rire que le vent emporta.

« Grâce au ciel, Pierre d'Angle n'est pas si guindée. Notre cour est une cour de ferme, vraiment, en surplomb du port… »

Il aurait voulu lui parler de la vigne rouge, de la croix des Quatre-Chemins, des troglodytes de Frenelles, de la pétanque dans le sable bien tassé. Des orfèvres, des parfumeurs, des dentelliers, des luthiers et des artistes qui donnaient à l'île sa réputation enchanteresse et sa seule monnaie d'échange. Du Carnaval d'automne, qui rassemblait tous les sujets sans qu'aucun d'entre eux ne soit reconnaissable. Du thé noir pris dans des tasses d'étain aussi fines qu'une fougère, de la bise polaire, des veines d'onyx noir, des sources thermales, des concours de tir à la corde, de l'odeur du feu de cyprès, du goût des cerises sauvages. De la dague ornée de rubis, qui, transmise de souverain en souverain, ne servait jamais qu'à couper les rubans d'inauguration. Mais la voix lui manquait. Il s'appuya contre la rambarde. Les dauphins disparurent soudain, comme s'ils n'étaient jamais venus. L'eau était noire, insondable.

« Il ne pleuvra pas, cette nuit, moussaillon. Mais il fait froid. On dit que tu dors encore dehors ? Il fait trop froid, ce soir, et les ponts sont mouillés. Retourne à ton hamac. »

Elle prit l'air buté du médaillon. La cloche du changement de quart retentit à ce moment et, comme pour lui obéir, Thibault s'en alla.

Ema partit s'abriter dans le gaillard d'avant. Plus tard, le veilleur vint lui porter deux couvertures de laine brute et un caban épais, beaucoup trop grand, qu'elle enfila avec soulagement. Elle plongea son nez gelé dans la doublure de mouton qui sentait le savon blanc et le bois de cèdre. Ce n'est qu'à la lumière de l'aube qu'elle remarqua l'effigie royale, sur les boutons d'argent.

***

À Louvres, il fallut jeter l'ancre un peu en retrait, dans la baie. La chaloupe de sauvetage de l'*Isabelle* se fit un chemin entre les coques des navires amarrés. Thibault avait l'air tendu.

Les fameux banquets de la cour de Louvres étaient redoutables. Certains dignitaires y avaient signé malgré eux la fin de leur carrière, certains monarques y avaient mis leur trône en jeu sans s'en apercevoir. Mais comme il était tout aussi dangereux de refuser une invitation que de l'accepter, il fallait bien s'y rendre, cette fois encore.

« Bref, moussaillon, déclara Thibault en s'agitant sur le tableau de la chaloupe, comme on me l'a si bien fait remarquer, je ne suis qu'un morceau de casse-tête et je n'ai pas le choix. Toi, tu n'as qu'à profiter de leur excellente gastronomie. Mais je te conseille de ne terminer aucun des plats. Sinon c'est l'agonie aux fromages et la mort au dessert. Le café arrive toujours trop tard. »

Il avait dit vrai. Les convives, d'abord libres de se déplacer dans un grand hall aux candélabres excessifs, furent dirigés vers la salle de banquet avant même d'avoir porté la flûte de champagne à leurs lèvres. Une immense table en forme de U était dressée, pour que les invités du milieu puissent entendre, sans en avoir l'air, plusieurs conversations à la fois. Les deux sièges stratégiques, de velours bleu, étaient destinés aux souverains : le roi, court et trapu, chasseur passionné, expert en gibier; la reine aussi maigre qu'une branche sèche, avec des traits de belette. Elle exigeait qu'on ne lui serve que des portions minuscules, de façon à toujours rendre un plat vide. Les convives croyaient poli de l'imiter, à leurs risques et périls. Il n'était pas rare qu'on fasse surgir un médecin de derrière une tenture pour ranimer ceux qui s'évanouissaient. On apprêtait d'avance des chambres pour ceux qui s'endormaient sur la nappe.

Le dévoilement des places représentait toujours un intolérable suspense. La belette était connue pour ses plans de table, qu'elle créait avec un mélange de génie et de cruauté. Grâce à ses manigances, elle était parvenue à rompre des fiançailles, à faire échouer des négociations de paix et à rompre plus d'un traité d'échanges commerciaux. En s'attablant devant leurs dix-sept ustensiles et leurs quatre verres de cristal, les invités avaient l'impression de s'enrôler dans une pénible croisade. Chacun s'efforçait de paraître enchanté.

Thibault soupira de soulagement lorsque Ema prit place en face de lui, bien qu'un gigantesque arrangement floral fît écran entre eux. Il avait à sa gauche Madame de la Tourelle, une mauvaise langue de renom. À sa droite se trouvait l'épouse du ministre des Affaires extérieures et de la Navigation, ce qui était assez prévisible et promettait d'être ennuyant. Ce qui l'inquiéta davantage, c'est qu'on ait flanqué la pauvre Ema du général Leroux, un vieux radoteur qui parlait à coups de maximes sentencieuses. Sa compagnie était si désagréable que certains convives, enfreignant toutes les règles de l'étiquette, écrivaient d'avance à la reine pour la supplier de le tenir loin d'eux. Pis encore, de l'autre côté, le prince Denis, le dauphin de Louvres en personne, un ravissant jeune homme, connu pour son charme, mais qu'on disait aussi joueur, opportuniste et malhonnête. Jacquard échangeait avec lui une correspondance régulière. Le roi Albéric s'en inquiétait presque autant que de son manque d'amitiés.

Pendant que les hors-d'œuvre commençaient à circuler, Thibault réfléchit sur le programme de la belette. L'épouse du ministre fournirait les arguments habituels en faveur d'une prise de position de la part de Pierre d'Angle dont la neutralité embêtait plusieurs des Territoires Nordiques. Madame de la Tourelle chercherait à identifier ses faiblesses personnelles, pour qu'on puisse le faire chanter au besoin, lorsqu'il serait roi, ou même avant. Sa plus grande faiblesse se trouvant assise en face de lui, dans sa robe rouge, avec un sourire candide, il remercia le ciel pour l'arrangement floral.

Ema, quant à elle, aurait le choix entre le général sentencieux et le charmant dauphin ; d'un côté la mort par l'ennui, de l'autre, la trappe à souris. Denis tenterait de faire sa conquête pour démontrer la suprématie d'un prince sur l'autre. L'ennuyant général ne servirait qu'à mettre en valeur, par contraste, la conversation du dauphin.

Thibault, dès le départ, décida de retourner contre elle-même les armes de Madame de la Tourelle. Il toucha à peine son potage au potiron, tant il la bombarda de questions sur sa personne. Son intérêt semblait si sincère qu'elle s'abandonna à des confidences de plus en plus intimes, de plus en plus détaillées et, de fait, de plus en plus intéressantes, peut-être même un peu plus. Lorsqu'on servit le faisan et le sanglier, il savait déjà sur elle tout ce qu'il était décent de savoir.

L'épouse du ministre mit du temps à s'adresser à lui. Sa réputation d'intrépide l'intimidait. Au moment des fromages, elle se risqua cependant à suggérer qu'il « valait toujours mieux naviguer en eaux sûres et s'accompagner des vaisseaux les plus puissants ». Elle voulait dire par là que Pierre d'Angle gagnerait à recevoir la protection de Louvres.

« Mais, madame, les vaisseaux les plus puissants sont généralement ceux des corsaires. Je préfère les tenir à distance. »

L'allusion au laxisme de Tourniev, le royaume voisin, était claire, mais elle échappa à la femme du ministre.

« De fait, mon prince, insista-t-elle, les dangers en mer sont imprévisibles et surprenants. Mon mari est encore troublé par le naufrage de l'un de nos navires, au large même de votre île. »

« Au large de Pierre d'Angle ? s'étonna Thibault. Mais quand donc ? »

« Il y a au moins un an et demi, mon prince. »

« Le temps était mauvais ? »

« Il semble que non. »

« Vous m'en voyez bien désolé, ma chère, mais d'autant plus déterminé à ne pas appuyer ma flotte sur la vôtre. »

L'épouse du ministre lâcha prise et piqua du nez dans sa tomme de chèvre.

Ema, de son côté, semblait parfaitement à l'aise avec les manières de table, copiant sans en avoir l'air chaque geste de Thibault. Soucieux de lui faciliter la tâche, il posait l'index un peu à l'avance sur le prochain ustensile à utiliser ou sur le prochain verre à tendre. Lorsqu'il la sentit aux prises avec un noyau de cerise, il tendit nonchalamment la main vers la corbeille de fruits afin de montrer la manière d'en disposer. Pour la conversation, elle se consacra au général avec tous les signes d'une grande compassion. Thibault, l'observant à la dérobée, finit même par se dire qu'elle éprouvait réellement de l'affection pour le vieux radoteur. Denis, froissé, revint à la charge à maintes reprises. Il l'inondait de compliments et d'allusions suaves, lui présentait les sauces avec empressement, lui renflouait son verre dès qu'elle y trempait les lèvres ; il tenait presque sa fourchette pour elle. Ema lui répondait de façon polie, mais sèche. Son ton froid et distant, presque coupant, creusait entre elle et son voisin de table un fossé de plus en plus profond.

Le prince Denis, tout en écrivant mentalement sa prochaine lettre à l'intention de Jacquard, s'acharnait à se pavaner. Il exhibait sa richesse et ses talents, « mon palais d'été » par-ci, « mon pavillon de chasse » par-là, « mes terres le long du fleuve », « mes goélettes aux quais ». Il posait des jugements sur tout un chacun, émettait des opinions sur le monde entier qui, à l'entendre, se trouvait à ses pieds. « Mes valets sont des sots », déclara-t-il hors contexte et, tentée de le gifler, Ema mordit plutôt à pleines dents dans un morceau de pain. Thibault, lui, ne disait jamais *mes* hommes, *mon* navire, *mon* royaume. Elle lui jeta un coup d'œil. Il penchait la tête de côté en écoutant Madame de la Tourelle avec toutes les apparences d'un intérêt consommé. Cependant, il se lissait un favori du bout des doigts, un signe d'ennui profond chez lui.

Ema ne faillit perdre contenance qu'une seule fois. On en était au dessert, une tarte flambée à l'ananas accompagnée de fleurs de sucres aux couleurs de l'arc-en-ciel. Le prince Denis insistait pour savoir d'où pouvait bien provenir Ema, « une beauté aussi exotique que le dessert qui nous arrive ». Il déclarait vouloir « absolument » fréquenter son royaume d'origine, « respirer l'air qui l'avait vue grandir », comprendre « d'où lui venait cet accent ravissant ». Thibault, qui, lui-même, n'avait jamais obtenu de réponse à cette question, tendit l'oreille. Ema avait perdu son ton assuré. Elle tentait vainement de faire diversion. Le général qui ronflait, bouche grande ouverte, ne lui était d'aucun secours. Denis redoublait d'insistance. Thibault n'en pouvait plus.

« Enfin, mon cher, intervint-il, vous êtes bien placé pour savoir que même l'origine la plus recommandable ne saurait garantir la qualité de la personne. »

Denis haussa un sourcil et posa sa cuiller.

« Tiens, le prince Thibault de Pierre d'Angle… susurra-t-il. Je n'avais même pas remarqué que vous fussiez assis en face de moi. »

« C'est bien là ma chance, répondit Thibault, car j'ai eu le loisir de mieux connaître Madame de la Tourelle. »

« Eh bien, j'ai moi-même fait amitié avec ma compagne, n'est-ce pas, mademoiselle Ejea ? »

« Je ne saurais vous blâmer, prince Denis, de vous être intéressé à elle davantage qu'à moi-même. Par contre, elle semble s'être intéressée au général davantage qu'à vous. »

« J'entends bien que c'est par respect pour son grand âge », déclara Denis à mi-voix. Il posa sa main sur celle d'Ema et ajouta d'un ton d'adoration : « N'est-ce pas, Ema Beatriz ? »

Elle retira lentement sa main et souleva son verre de muscadet, un vin sucré dont la robe était si riche qu'elle en semblait presque ambrée.

« Certes, fit-elle. J'ai toutes les raisons de préférer un vin bien mûri à un verre d'eau gazeuse. »

« Charmante. Vous êtes tout simplement adorable, roucoula Denis, un sourire contrit figé sur son visage. Dites-moi donc, Thibault, où vous avez bien pu dénicher une créature si enchanteresse ? »

« De telles créatures, mon cher Denis, on ne les déniche pas. Elles s'imposent à vous », rétorqua Thibault.

Cependant, Madame de la Tourelle s'était remise de ses épanchements. Elle s'était soudain souvenue de la dernière conquête du prince Denis, un esclandre potentiel. Elle se mit à lui poser des questions si embarrassantes que la moitié de la tablée se tut pour écouter les réponses, laissant fondre le sorbet de mûres sauvages qu'on venait de servir.

Le café suivit, puis les liqueurs et les chocolats. Enfin, chacun retint son souffle à l'approche du moment tant attendu : le roi et la reine allaient se lever. À ce signal, les convives qui pouvaient encore tenir sur leurs jambes allaient enfin pouvoir sortir de table. Les autres seraient soutenus jusqu'aux chambres. Ils se réveilleraient le lendemain, furieux contre eux-mêmes et contraints à un déjeuner indigeste. Thibault posa sa serviette et se leva vivement. Ema poussa lentement sa chaise, l'air troublé.

Dans le carrosse qui les menait au port, elle n'avait toujours pas dit un seul mot.

« Quelle épreuve, finit par s'excuser Thibault. Je vous trouverai bien courageuse si vous m'accompagnez encore à la prochaine escale. »

« J'ai trouvé le potage excellent. »

Il se tourna vers elle, un peu inquiet. Elle ajouta :

« C'est vous qui êtes courageux, Thibault, de vous faire accompagner de moi sans rien savoir sur ma personne. »

« J'en sais suffisamment. »

« C'est gentil. Elle hésita. Mais… à propos de mon pays d'origine, j'ai du mal à… il faudra bien que… »

« Ton pays d'origine ? Laisse-moi réfléchir, Ema. Un pays tropical aux villes cosmopolites où se mêlent les races et les langues. Il y a une panoplie de pays de ce genre. Mais le tien est un pays de bord de mer où on apprend à nager. Il a un climat politique instable et des champs de bataille. Envahisseurs, donc, ou guerre civile, ou les deux. Et puis l'épidémie de peste quand tu étais enfant. J'ai trois pays en tête. »

Ema tressaillit. Thibault continua.

« Mais l'un d'entre eux interdit, pour des raisons religieuses, la production de portraits. Je l'écarte, à cause du médaillon. Il m'en reste deux. »

Ema baissa la tête. Thibault reprit :

« Mais l'un d'entre eux condamne l'esclavage… »

Il effleura du doigt son poignet brûlé.

« Je l'écarte. Il n'en reste qu'un seul. »

Ema crispait les mâchoires.

« Le très redouté royaume de Villadeva, dont on ne s'échappe vivant qu'avec beaucoup de ruse, de courage et une bonne dose de chance. »

Ema regardait droit devant elle, pétrifiée.

Thibault serra doucement son poignet. Il aurait voulu pouvoir en effacer les marques, mais c'était plutôt sa main qui brûlait à leur contact. Le mutisme d'Ema était si profond qu'il crut ne jamais réentendre sa voix. Il retira sa main et répéta, dans un murmure :

« L'origine d'une personne n'a rien à voir avec sa qualité. »

Elle restait aussi figée qu'une statue. En elle se livrait un combat mortel entre la confiance qui cherchait à naître et l'habitude de la méfiance qui la suffoquait. Jusqu'au port, dans la chaloupe qui traversait la baie et, même, une fois sur l'*Isabelle*, ils n'échangèrent ni une parole ni un regard.

Une brise âpre faisait tinter les poulies contre le grand mât. C'est à regret que Thibault laissa Ema rejoindre son panier de cordage. Elle aurait froid, malgré le caban.

CHAPITRE VII

La plaie du charpentier s'était refermée, parfaitement saine. On cultivait maintenant les vers en permanence. Dès que la moindre infection se présentait sur une plaie ouverte, ils étaient devenus le tout premier recours. Les seules plaintes de Jules étaient liées à son membre fantôme, la main qu'il n'avait plus et qui le réveillait encore de nuit. Mais le chef de hune disait de même de sa phalange, le matelot de son gros orteil et l'amiral de ses lobes d'oreille.

En fait, l'amputation de Jules lui avait permis de se rabattre sur une ancienne vocation. Il avait autrefois rêvé de faire du théâtre et il passait maintenant son temps à amuser ses compagnons. Chaque fois qu'ils s'ennuyaient, ils réclamaient ses imitations des personnages de la cour. Elles étaient si crédibles qu'ils les appelaient des *incarnations*. Un soir qu'on avait fini de manger et que tous étaient bien installés sur les bancs ou sur les coffres, le buandier, fatigué de faire des tas de miettes, réclama l'incarnation du Duke of Oats.

« Le Duke of Oats ! » entonnèrent les hommes.

Jules se leva, fit une révérence ampoulée et improvisa une ondée de vers absurdes avec une voix nasillarde. Toute la tablée s'écroula de rire, Thibault s'en tenait les côtes. Même Ema, qui ne connaissait pas le Duke of Oats, le trouvait hilarant.

« La reine Sidra, scandaient les hommes, la reine, la reine ! »

La reine Sidra était la seconde épouse du roi Albéric. Il s'agissait d'une femme longue et pâle, retirée dans la solitude de l'aile la plus obscure du château. Elle avait des cheveux noirs de jais lui descendant jusqu'aux genoux, une mystérieuse lenteur, un regard sombre, impénétrable, le corps gracieux d'un animal sauvage. Elle n'était plus vue avec le roi que pour des occasions officielles. Thibault savait de son père que, le jour de leur rencontre, Albéric, envoûté, avait senti qu'elle lui ouvrait une chambre secrète et inaccessible, aux volets qui claquent. Mais, depuis, le roi vivait avec l'impression qu'un serpent s'était fait un nid dans son cœur. Il ne sentait plus sur sa peau la chaleur du soleil.

« La reine, oui ! La reine Sidra ! »

Le charpentier se figea. Il défit sa couette. Ses cheveux raides lui tombèrent au ras du visage. Il les lissa d'un air sinistre en faisant saillir ses oreilles. La tête bien droite, il se mit à marcher à reculons d'un pas fluide, comme s'il ne touchait pas le sol. Sa seule main restait levée à la hauteur du visage, l'index pointé vers le haut. Il fit le tour de la table, en fusillant chacun d'un regard accusateur. Les hommes en tombaient de leur banc.

« Le prince Jacquard maintenant, il fait vraiment bien Jacquard », lança le buandier.

Le charpentier afficha un air féroce, ses yeux brillaient de cruauté. On aurait même dit qu'il avait changé de stature. Il s'approcha d'Ovide d'une démarche chaloupée, le prit par une oreille et aboya d'une voix sourde :

« Je vais t'évincer. Je vais te lancer mon molosse aux trousses. Attaque, Styx. *Attaaaaaque.* »

Ovide devint aussi blanc qu'un linge. Il s'accrocha des deux mains à l'encombrant collier de dents de requin qu'il avait acquis dans les tropiques. Les rires redoublèrent.

« Le roi, le roi ! » réclamèrent les hommes.

Jules redevint soudain lui-même. La métamorphose était frappante.

« Ah non, fit-il. Le roi est le seul personnage de la cour que je ne me suis jamais permis de… oh. »

Il en avait trop dit. Les hommes ne savaient pas comment réagir. L'amiral croisa les bras et pinça les lèvres. Le charpentier jeta un regard piteux à Thibault. « Allez, vas-y, lança le prince. Au pire, c'est par-dessus bord. »

Jules hésita un long moment. Puis, d'un air soucieux, il se mit à arpenter l'entrepont, à grandes enjambées, le moignon sur la hanche, en se grattant la nuque. La ressemblance avec Thibault était parfaite. Mais André l'interrompit en réclamant l'amiral.

« L'a-mi-ral ! L'a-mi-ral ! » reprirent les hommes.

Dorec s'agita sur son siège.

« Tu n'oserais pas, Jules », protesta-t-il.

Le charpentier, pour une fraction de seconde à peine, pinça les lèvres. Toute la tablée s'écroula. L'amiral fut le seul à ne pas se reconnaître, ce qui rendit les marins presque hystériques.

***

Jules excellait, mais le succès de ses imitations auprès des marins venait aussi de leur goût pour la raillerie, lui-même venu de la monotonie des jours. Ainsi, ils ne manquaient pas une occasion de se moquer d'Ema. Elle prit l'habitude de se présenter à table avec la grosse pince à molaires, qu'elle posait près de son bol et brandissait au besoin. Elle se répétait qu'il lui fallait bien prendre son mal en patience. Qu'elle ne vivrait pas plus longtemps sur ce navire qu'elle n'avait vécu ailleurs. C'est sans bien s'en rendre compte, pourtant, qu'elle leur cloua le bec. Un peu comme Félix, et contre toute attente, elle trouva son crocodile.

Ce jour-là, le zéphyr soufflait comme sur commande, agréablement doux et chaud. L'amiral ne se lassait pas de contempler le gonflement des voiles. Le ciel était d'azur et l'eau de jade. Une journée parfaite pour la pêche à l'espadon et l'entretien de routine.

Ema brossait le plancher de bois, agenouillée sur le pont avant en compagnie de Georges et d'un seau d'eau savonneuse. À bâbord, quatre hommes armés de longs manches nettoyaient le bordage des algues et des coquillages qui, en s'y accrochant, pouvaient finir par le faire pourrir. Au bout des manches étaient attachées de grosses éponges. Pour qu'elles appliquent une pression suffisante, les marins fixaient aussi sur les manches des objets flottants qui les rappelaient en surface. Cette fois, chacun s'était équipé de manière différente, vêtements, bouchons de liège, morceau de bois. Ils avaient parié des carrés de sucre sur le meilleur prototype. Quand un caleçon se détacha pour flotter vers le large, ils se mirent à siffler admirativement.

À la poupe, d'autres pêchaient l'espadon. À chaque grosse prise, le cuisinier, qui avait installé une table à tréteaux sur la dunette, filetait le poisson à tour de bras et lançait les restes par-dessus bord. Les requins ne se gênaient pas pour flâner dans le sillage du navire. Ils furent bientôt si nombreux qu'ils emmêlèrent les lignes ; la pêche dut s'interrompre.

Marcel se trouvait ce jour-là chargé de brider de la corde. Pour augmenter leur résistance à l'érosion, les cordes étaient bridées de ficelle, puis goudronnées. Mais, à l'usure, la ficelle se rompait et tombait en morceaux. Le temps était venu de la changer. Marcel descendit sur le plat-bord, directement au-dessus des flots. De là, il aurait facilement accès au hauban du grand mât.

C'était une opération bien simple et routinière. Pour quiconque n'était pas habitué à la vie en mer, l'idée de se tenir debout sur le plat-bord, étroit et privé de rambarde, pouvait sembler effrayante. Mais les gabiers sont de vrais singes. Ils préfèrent même les voiles à leur hamac.

Tout se serait déroulé comme un charme si le second-maître ne s'était pas trouvé à descendre de la vigie, juste au-dessus. Dans son empressement, il laissa échapper la longue-vue qu'il voulait glisser à sa ceinture. L'objet métallique vint heurter la tempe de Marcel qui lâcha le hauban, perdit pied et fut projeté dans les flots.

« Un homme à la mer, à tribord ! » appela le second-maître.

La coque longeait rapidement le corps du gabier, et le dépassa.

« Tribord arrière ! Arrière ! » se corrigea-t-il.

Ema, en train de vider son seau à la mer, n'avait rien perdu de la scène. Avant même que les autres n'entendent l'appel, les mains encore couvertes de savon, elle avait déjà plongé.

« Merde, Ema, non ! Les requins, tu es folle ! » hurla le second-maître encore accroché au hauban.

Il sauta sur le pont et courut chercher la bouée de secours. Le corps inerte de Marcel flottait au large, balloté par les vagues, entouré d'ailerons menaçants. C'était la deuxième fois qu'il passait par-dessus bord, mais, cette fois-ci, il ne nageait pas. Quant à Ema, elle avait disparu.

« Allez Marcel ! Marcel ! Tu sais pourtant nager, nage, NAGE, BON SANG ! » cria Guillaume Lebel tout en faisant signe de lester la chaloupe de sauvetage.

Ema sentit le choc de l'eau dans tout son corps. Sa tête brisa la surface comme on brise une vitre. Des milliers de bulles remontaient lentement autour d'elle. Les yeux brûlés par le sel, elle voyait les rayons du jour se perdre dans les profondeurs insondables de la mer. La bouée de sauvetage flottait au-dessus, inutile, semblable à une éclipse de Lune. La quille de l'*Isabelle* ressemblait au ventre d'une baleine. Elle s'éloignait rapidement, suivie de l'ombre agile des requins, encore en attente de restes de table.

Ce fut un moment étrange. Ema crut qu'elle allait mourir. Tout était trop froid, trop creux, trop vaste autour d'elle. L'immensité bleue, son silence bourdonnant, lui donna l'impression d'être déjà passée de l'autre côté du réel. Et, toujours, elle ne cessait de descendre, paralysée. Elle se sentait minuscule, isolée, exposée dans un espace vide et pourtant plein, si plein, si dense.

Elle était aussi vulnérable qu'un nouveau-né, plongé tête première dans un monde inconnu, vaste et glacial. Il lui sembla qu'elle venait tout juste de naître et qu'elle allait déjà trépasser. Le début et la fin de sa vie se serraient l'un contre l'autre, lui écrasant les tempes. Elle n'y pouvait rien. Elle s'enfonçait dans le bleu de plus en plus foncé, dans le silence de plus en plus profond. La pression ferait bientôt exploser ses tympans. Elle cesserait d'exister.

À la pensée de Marcel, elle se ressaisit pourtant. Par un effort titanesque, elle parvint à bouger ses bras, puis ses jambes. Elle combattit le poids de l'eau et commença à remonter. Son cœur battait à tout rompre. Elle n'entendait plus que ce battement infernal. Il lui fallait de l'air et vite. Au moment où ses membres se mirent à lui obéir, un voile noir tomba sur ses yeux. Sa bouche s'ouvrit d'elle-même. Si elle ne respirait pas maintenant, elle allait perdre connaissance. Si elle perdait connaissance, elle avalerait une grande rasade d'eau salée. C'est ainsi qu'on retrouve les noyés, pensait-elle, de l'eau plein les poumons. On dit même que la mort est euphorique, une fois les poumons remplis. Elle ne voulait pas de cette euphorie-là. Elle poussa désespérément sur ses jambes, sur ses bras maintenant si faibles qu'elle les sentait à peine.

Lorsque sa tête émergea de l'eau, elle n'entendit pas les cris provenant de la poupe. Elle tenta de respirer, mais ses poumons restaient collés à sa cage thoracique. Pas un seul filet d'air n'y entrait. Elle resta un moment à faire du surplace, bouche ouverte, jusqu'à ce l'air finisse par lui brûler la poitrine et que la vision lui revienne, violemment surexposée.

Elle ne voyait plus ni la bouée ni Marcel. Elle voyait seulement deux ailerons glisser en surface, disparaître et revenir. Elle mit la tête sous l'eau. Les requins nageaient en surface, sans le moindre intérêt pour la masse humaine qui coulait à pic juste sous leurs flancs. Ema connaissait trop l'océan pour s'en étonner. Ces requins-là n'attaquaient l'homme qu'avec l'appât du sang. S'ils ne suivaient pas Marcel, c'est qu'il ne saignait pas. Elle replongea. L'océan lui résistait autant qu'un mur de briques. Quand elle toucha enfin le corps du gabier, il était inerte et pesant. Elle le saisit par les cheveux et entreprit de le ramener en surface. Autant remonter l'ancre à mains nues. Les forces lui manquaient. Le rideau noir se referma de nouveau, son cœur battait dans son crâne, ses membres s'engourdissaient. Elle était si proche de la surface, si proche, et pourtant. Marcel l'entraînait encore vers le bas.

Elle tenta un dernier effort. Des touffes de cheveux lui restèrent entre les mains. Elle dut lâcher prise. Elle prit à peine le temps de respirer. Elle entendit un cri infiniment lointain : « Ema, non ! Non, Ema ! » et replongea. Cette fois, elle saisit le gabier aux aisselles et le tira de toutes ses forces. Lorsqu'elle refit surface, elle lui tint la tête à flot en l'appuyant sur son épaule. Enfin à l'air libre, il ne réagissait pas. Ses lèvres étaient bleues, ses paupières fermées.

La chaloupe s'approcha d'eux. Dès qu'elle les frôla, Félix s'empara de Marcel et le souleva d'un coup comme s'il s'agissait d'une simple truite. Dégagée, Ema se sentit toute légère, elle n'avait plus froid. Elle était prise d'un engourdissement bienheureux et de l'envie irrésistible de se laisser aller aux flots. Mais Félix lui lança une corde qu'elle reçut en plein visage. Elle la saisit mollement. Il l'aida à monter à bord et l'installa sur le tableau de la chaloupe, tout chaud de soleil.

Ema vit le grand dos de Lucas penché sur Marcel. Il lui pressait la poitrine et lui faisait le bouche-à-bouche. Marcel ne réagissait toujours pas. Lucas s'entêtait en jurant. Guillaume manœuvra jusqu'à la coque et, tout en tenant la corde qui allait hisser la chaloupe, il observait, anxieux, la réanimation. Le bois de la chaloupe heurtait celui du bordage, l'eau faisait chaque fois un clapotis nerveux. La mer s'étendait à l'infini autour d'eux, son horizon flou se confondait avec le ciel. Les requins, lassés, avaient disparu. Le gabier ne respirait toujours pas.

Lucas allait renoncer quand, brusquement, Marcel fut secoué d'un spasme violent. Il se tortilla comme un ver, tourna la tête et régurgita. Du bastingage, on entendit des applaudissements : jamais un vomissement n'avait été aussi bienvenu. Marcel toussa, porta la main à sa gorge et ouvrit les yeux à demi. Lucas, soulagé, l'engueula à pleins poumons.

« Merde alors ! Tu sais nager, ou quoi ? Ou merde, Marcel ! »

Guillaume passa les cordes dans les œillets et fit signe de hisser. Tous les gars s'étaient rassemblés sur le pont principal. C'est en les voyant qu'Ema s'aperçut que sa chemise mouillée lui collait au corps comme si elle était flambant nue. Elle croisa les bras. Quelqu'un lui jeta un vieux sac de jute. Guillaume et Lucas soulevèrent Marcel et le passèrent aux autres. Puis ils prirent Ema par les coudes et elle sauta sur le pont.

Un silence si profond accueillit son arrivée à bord qu'on entendait ses dents claquer. Ses jambes tremblaient, ses cheveux et ses vêtements dégoulinaient par terre. Tout son squelette était transi. Elle garda les yeux baissés.

« Les requins, Ema, tu es folle… » fit le second-maître, terminant sa phrase laissée en suspens au moment du plongeon.

« On ne saute *jamais* comme ça à la mer, *jamais* », la sermonna l'amiral.

« C'est beaucoup trop froid, c'est suicidaire », commenta le géologue.

« En tout cas moi, c'est sûr, je n'aurais pas sauté », déclara Roland.

« Toi, tu sautes seulement sur demande », lui renvoya le navigateur.

« Gabier de poulaine, va », chuchota un matelot.

« Marcel, lui, il en fait une spécialité », remarqua le buandier.

« Sans blague, Ema, tu as failli y rester », reprit le chirurgien.

« On aurait perdu deux hommes au lieu d'un seul », renchérit le tonnelier.

« Ce qui aurait été stupide », conclut le second.

« Nos deux hommes sont sains et saufs, c'est ce qui compte », coupa le prince.

Le gringalet s'avançait avec une couverture plus grosse que lui, qu'il tendit à Ema.

« Merci, Georges, continua Thibault. Qu'on mène Marcel à l'infirmerie. Buandier, trouve-nous des vêtements secs. Cuisinier, prépare un bouillon. Les autres, retournez à vos charges. Amiral ? Suivez-moi. »

Thibault obtint de l'amiral qu'il prête sa cabine à Ema jusqu'à ce qu'elle se soit réchauffée. Il aurait pu demander à Guillaume, mais il le savait désordonné. La cabine de l'amiral, au contraire, était d'une propreté maniaque. Dorec accepta de bon cœur et laissa même sa boîte de biscuits aux amandes sur la table de chevet. En s'allongeant sur l'étroite couchette, Ema comprit à quel point son panier de cordage était inconfortable. Sa joue s'enfonça dans le coussin de velours avec un contentement indicible. Félix vint lui porter de l'huile pimentée pour se frictionner la peau, quatre couvertures supplémentaires, des sous-vêtements de laine rongés par les mites, un bol de bouillon et une double ration de fruits secs.

« Tu leur en as bouché un coin, lui dit-il. Ils vont te ficher la paix, maintenant, nos gigolos. Tu l'as fait exprès ? »

« Et toi, avec ton crocodile ? »

« Non. »

« Moi non plus. »

« En tout cas, ça valait la peine. »

Il lui fit un clin d'œil et sortit. Ema sombra dans un sommeil profond dont elle n'émergea qu'au milieu de la nuit. La coque craquait, les mâts tintaient. Les bruits de pas sur la dunette, au-dessus d'elle, étaient feutrés et plaisants. Le navire gîtait doucement. Elle se demanda où pouvait bien dormir Dorec. Dans un hamac, sans doute, entre les ronflements, dans l'odeur des pieds sales. Cette pensée la fit sourire et elle se rendormit.

CHAPITRE VIII

Le jour de la troisième escale, le temps était gris. Tous se félicitaient de pouvoir se cacher du mauvais temps derrière la longue jetée de Tourniev. Il s'agissait d'un port facile d'approche, spacieux et profond, dans une baie surplombée de hautes falaises blanches. On y entrait toujours comme dans un conte de fées, tant le paysage était spectaculaire. C'était d'ailleurs l'endroit où l'amiral avait passé une partie de sa jeunesse à apprendre son métier. Il déclara au prince qu'il entendait se joindre à la réception, pour rendre hommage au souverain qui l'avait autrefois pris sous son aile.

« Vraiment ? » s'était écrié Thibault, qui savait combien l'amiral avait les réceptions en horreur.

« Eh bien oui, sire, avait soupiré l'amiral. Je n'ai pas vraiment le choix. »

« Comme je vous plains… »

« En plus, insinua l'amiral, j'ai l'impression que vous avez bien besoin d'un chaperon. »

Thibault éclata de rire.

« Un chaperon, Dorec ? Mais vous vous moquez de moi ! »

Dorec se rembrunit.

« Je n'ai jamais vu d'un bon œil cette histoire d'escorte galante, sire. Je m'y suis opposé dès le départ. »

« C'est pourtant vous qui avez choisi cette robe rouge, amiral. »

« Bien malgré moi, sire, bien malgré moi. »

« Une tenue somptueuse », insistait Thibault.

Dorec toussota.

« Sire, nous avons tous remarqué… »

« Remarqué quoi, Dorec ? »

« Eh bien, sire, il nous semble évident que… »

« Amiral Dorec, j'ai été impeccable. Vous n'avez aucun reproche à me faire. »

« C'est vrai, disons… Disons que c'est *techniquement* vrai, sire. Ni moi ni aucun des hommes n'avons de reproches à vous faire. »

« Alors ? »

« C'est que je sens, sire, comment dire… J'ai l'intuition de… »

Thibault le laissait bredouiller. Il s'amusait beaucoup.

« L'intuition d'une certaine… euh… attraction. Voilà, sire. Une attraction. »

« Je ne vous savais pas si intuitif. »

L'amiral croisa les bras, irrité.

« Je pense à votre réputation, sire. »

« Ma réputation, comme je viens de vous le rappeler, est impeccable. »

« Pour l'instant, sire. Pour l'instant. »

« Enfin, Dorec. Détendez-vous. »

« Je pense à votre père, le roi Albéric, à la confiance qu'il a mise en moi et qui m'est si précieuse. »

« Je sais, amiral. Et vous ne l'avez jamais déçu. »

Thibault songea soudain à un moyen d'amadouer l'amiral. S'il devait lui servir de chaperon, il valait mieux qu'il soit de bonne humeur.

« Mon bon Dorec, reprit-il, j'ai moi-même envers vous ma part de dettes. Que diriez-vous d'utiliser la godille pour vous rendre aux quais et d'aller vous-même annoncer notre visite ? »

« La godille, sire ? »

Le visage de l'amiral s'éclaira comme celui d'un gamin à qui on vient de promettre des friandises. Le port de Tourniev étant toujours encombré, on allait sans doute devoir jeter l'ancre assez loin des quais. La godille, un long aviron manié debout, permettrait à l'amiral de manœuvrer la chaloupe en solo, de la façon la plus élégante qui soit. Le maniement de la godille exigeait beaucoup d'adresse; effectué avec grâce, il attirait toujours l'attention.

« La godille! Ah oui, je veux bien, sire… »

« Très bien. »

« Quoique, mon prince, avec ce début de mauvais temps… »

« Qu'est-ce que deux ou trois petits moutons pour un homme de votre trempe? Il vous sera plus facile de louvoyer dans le port qu'à moi de me faire la barbe. Allons, c'est chose faite. La godille. »

Au fil de la matinée, cependant, les petits moutons isolés se changèrent en traînées d'écume. Thibault se mit à craindre que son offre ne vire au vinaigre. La godille, après tout, était un couteau à double tranchant : si son entrée au port était malhabile, et si, surtout, il n'arrivait pas à freiner à temps, l'amiral ne s'en remettrait pas. Son humeur serait massacrante.

Mais Albert Dorec fut à la hauteur de sa réputation. Debout dans la chaloupe, vêtu de son uniforme officiel et une main dans les poches, il manœuvra entre les coques comme un poisson se faufile entre les coraux. Il accosta en cueillant la berge de la plus belle façon. D'une démarche fière, il alla en personne avertir le chambellan de la présence du prince de Pierre d'Angle.

Il ramena les meilleurs vœux du roi de Tourniev et une invitation officielle pour la réception du jour. Leur arrivée coïncidait avec une rencontre diplomatique « ouverte aux quatre océans ». La soirée promettait d'être colorée.

À la grande déception de l'amiral, qui désirait renouveler son prodige de godille, une embarcation d'honneur fut envoyée pour les prendre. À Tourniev, tout était fait en grande pompe : l'esquif était rembourré de soie fuchsia et peinte de figures de sirènes aux cheveux tressés de diamants et d'oiseaux du paradis. Thibault crut bon de rassurer Ema. La cour ne ressemblait en rien à celle de Louvres. Son père s'était lui-même bien diverti, à Tourniev, du temps où vivait Éloïse. Les souverains aimaient s'amuser, s'entouraient des visiteurs les plus improbables, présentaient des spectacles surprenants et se mêlaient à leurs convives sans se flanquer de leurs gardes. Chez eux, on pouvait être spontané sans se repentir, on dansait beaucoup et on mangeait tard.

L'envers de la médaille, avait toujours remarqué Albéric, c'est qu'ils « frayaient avec n'importe qui » et que « leur sens moral était aussi instable qu'un navire sans tourmentin ». Lorsque Thibault avait quitté Pierre d'Angle, au début de sa toute première expédition, son père lui avait donné un conseil qui s'appliquait à Tourniev mieux qu'à tout autre royaume : « Amuse-toi, mais méfie-toi. »

La soirée s'amorça bien. Ema fut inondée d'éloges sur sa personne, sur l'étoffe de sa robe, sans qu'on cherche à comprendre la nature de ses origines et sans commentaire sur la couleur de sa peau. L'amiral aperçut d'emblée d'anciens compagnons de l'École de la marine, maintenant hauts gradés dans la flotte royale. Il se précipita vers eux. Quelques minutes plus tard, il était perdu au fond de la salle parmi ses souvenirs de jeunesse et le récit de sa carrière. Il avait tout oublié de son chaperonnage.

Thibault et Ema bavardèrent un peu à droite et à gauche. Les échanges étaient légers et la compagnie, agréable. Derrière le murmure des conversations, on entendait vaguement les violons s'ajuster. Dès que la musique commença, ils se glissèrent parmi les autres couples, au milieu d'une cour intérieure pavée de mosaïques. L'orchestre jouait sous une arcade tendue de lanternes multicolores. Le long de la balustrade courait une gigantesque glycine, ployant sous des grappes de fleurs d'un violet très pâle, presque irréel.

Ils dansèrent avec le même bonheur qu'à Vergeray. Pourtant, cette fois, ils se tenaient si proches l'un de l'autre que le front d'Ema frôlait l'épaule de Thibault. Il sentait son souffle mêlé au parfum sucré de la glycine, elle sentait le lin du justaucorps lui effleurer la joue. Ils entendaient à peine la musique et évitaient de justesse les autres danseurs. Le monde s'était replié comme un éventail. L'univers entier logeait entre leurs bras. Plus besoin de parcourir les mers ni de fuir les tropiques. Ils étaient aussi émus l'un que l'autre, bien qu'incapables de se le dire. Puisque seul danser leur était permis, ils dansaient.

De ce fait, ils ne remarquèrent pas le petit homme brun qui, debout sous l'arcade, ne les quittait pas des yeux. Il tenait un verre à la main, surmonté d'un parasol et d'une myriade de cerises rouges. L'extravagance de son cocktail contrastait avec la sévérité de ses traits et, en particulier, avec la mince moustache qui bordait sa bouche inexpressive.

La danse fut brusquement interrompue par des feux d'artifice lancés d'une tour de garde. Une rumeur parcourut la foule : le roi voulait offrir un divertissement inusité. Tous devaient se rendre au chapiteau planté au milieu du jardin. Un long cortège d'invités s'ébranla en riant. Dans la tiédeur nocturne se mêlaient les eaux de Cologne et l'odeur riche de la terre humide. Sous le ciel bas, l'orage menaçait.

Ema et Thibault suivirent les autres à contrecœur. C'est en passant sous l'arcade qu'elle sentit sur sa nuque une sorte de morsure. Elle se retourna d'un coup. Entre des dizaines de têtes, elle distingua tout de suite celle du petit homme. Sous sa moustache noire, les coins de sa bouche se plissèrent en un sourire cruel. Il leva son verre.

Le corps d'Ema se raidit, sa main serra le bras de Thibault. Il se tourna vers elle, étonné. Elle s'efforça de lui sourire. Mais sa gorge était nouée. Elle respirait à peine, et on aurait dit qu'un étau lui comprimait l'estomac. C'est dans cet état qu'elle dut endurer l'interminable spectacle des marionnettes cracheuses de feu. Sur sa nuque, elle continuait de sentir la morsure. L'homme était placé derrière eux et ne la lâchait pas du regard. L'inexplicable anxiété d'Ema inquiétait aussi Thibault. Il écarta plusieurs fois son col, à la recherche d'oxygène. Sous le chapiteau, chaque démonstration pyromane ajoutait à la chaleur insupportable.

Le spectacle se termina enfin dans un tonnerre d'applaudissements confondus aux grondements de l'orage. C'est sous l'averse que les invités s'empressèrent d'aller vers le banquet. Des dames se plaignaient, d'autres riaient, quelqu'un glissa dans l'herbe. Ceux qui ne voulaient pas gâcher leur tenue patientèrent sous le chapiteau jusqu'à ce que l'ondée se calme. Le petit homme, lui, n'attendit pas. Il suivait Ema de si près qu'il lui marchait sur les talons.

On avait apprêté des tables monumentales sous les arcades. La cour intérieure était tendue d'authentiques voiles de goélette pour abriter les danseurs de la pluie. À peine Thibault et Ema firent-ils leur entrée que l'homme apparut devant eux, leur barrant le passage. Elle tressaillit.

« Signorina Ejea… fit-il, sarcastique. Ma surprise n'a d'égale que la joie de vous avoir retrouvée. »

L'homme avait des yeux comme des hameçons. Ema redressa la nuque d'un air défiant, mais Thibault la sentait flancher de l'intérieur.

« Vous m'accorderez bien cette danse ? continuait-il. Vous *ne pouvez pas* me refuser cette danse… »

Il avait déjà saisi la main d'Ema dans la sienne, qu'il avait moite, et l'entraînait avec lui. Thibault savait qu'il n'aurait pu empêcher cette danse qu'au prix d'une bagarre. Il lui fallait résoudre le problème, quel qu'il soit, de manière diplomatique.

Il parcourut la salle des yeux, à la recherche de l'amiral. Il vit son crâne chauve scintiller à la lueur des lanternes, de l'autre côté de la cour. Il était absolument hors d'accès. Ema dansait de mauvais gré. Elle dépassait son cavalier en taille et aggravait la situation en lui écrasant les pieds, en ignorant la cadence et en faisant un effort visible pour se tenir loin de lui.

Thibault serrait la mâchoire. Il n'osait pas s'éloigner. Une comtesse vint lui demander de faire danser sa fille cadette ; il prétexta s'être foulé la cheville. Enfin, le chambellan passa en compagnie d'un majordome qu'il bombardait d'indications sur l'arrivée des plats. Lorsqu'il aperçut Thibault, il renvoya le serviteur d'un geste exaspéré.

« Prince Thibault de Pierre d'Angle, s'écria-t-il, tout sourire. Nous vous avons si peu vu ces dernières années, c'est un plaisir. Que dis-je ? C'est un honneur de vous avoir avec nous ce soir. »

« Merci, chambellan. Le plaisir est réciproque. Cette soirée est magnifique. »

« Bien sûr, il y a eu l'averse, fit le chambellan en riant, mais que voulez-vous, cher prince ? Nul monarque ne sait encore contrôler le ciel ! »

« Je vous l'accorde. Et, soit dit entre nous, je crois que c'est mieux ainsi. »

« Vous avez bien parlé, sire. »

Et le chambellan fut secoué d'un nouveau rire, aussi feint que convaincant.

« Parlant de monarques, reprit Thibault, je dois vous avouer mon ignorance. Plusieurs de vos convives me sont inconnus. »

« Ah bon ? Voilà qui m'étonne, sire. Vous qui avez, dit-on, parcouru les quatre océans… »

« C'est que je me suis surtout intéressé à la jungle, ces dernières années. »

« Ah ah ! Sire. On dit pourtant que la jungle et la cour sont une seule et même chose ! » Le chambellan fut repris de secousses.

« Certes, certes, sourit Thibault. Mais voyez, par exemple, chambellan : je me trouve en position incon-fortable. Ma compagne danse avec un homme que je n'ai même pas pu saluer par son nom. »

Le chambellan chercha à repérer Ema. Il finit par l'apercevoir, mais mit un moment à identifier son partenaire, tant il était bas.

« Ah… ah, oui. Oui, oui, fit-il enfin. Celui-là, sire, c'est Malaquias Del Puente Saez, l'ambassadeur de Villadeva. »

Thibault devint livide. C'était bien ce qu'il craignait.

« Villadeva! lâcha-t-il. Chambellan, votre royaume traite-t-il donc avec un pays si corrompu? »

Le chambellan, embarrassé par la question, prit un air offensé.

« Mais, prince Thibault. Tourniev est légendaire pour l'ouverture d'esprit qui lui a valu les découvertes les plus étonnantes et une situation commerciale, admettez-le, enviable. »

« Soit, admit Thibault. En revanche, Pierre d'Angle est légendaire pour l'honnêteté de son peuple et la propreté de son administration. S'il arrivait aux oreilles de mon père que vous vous frottez à Villadeva… Il pourrait vous en coûter. »

« Oh! » Le chambellan était rouge comme un coq. Il tirait nerveusement sur les pans de son uniforme. « Prince! Je n'en crois rien. Pierre d'Angle est un royaume neutre, après tout. »

« Il n'y a pas plus grand pouvoir que celui d'un royaume neutre, chambellan. Vous le savez aussi bien que moi. Allons, ne vous fâchez pas. Prenez-le comme un conseil d'ami. »

Le chambellan soupira bruyamment.

« Je vous salue, prince Thibault. » Il tira de nouveau les pans de sa veste. En jetant un regard allusif aux danseurs, il ajouta : « Avec mes meilleurs vœux. »

Thibault s'inclina. Le chambellan s'était à peine éloigné de deux pas que l'amiral se pointa. Il les avait vus discuter ensemble et entrevit l'occasion de faire ses hommages à la cour. Du même coup, il s'était brusquement souvenu de sa fonction de chaperon.

« Oh zut, sire, j'ai manqué le chambellan ! » s'écria-t-il tout essoufflé.

« Peu importe, amiral. De toute façon, il est de mauvaise humeur. Vous vous êtes bien diverti, il me semble ? »

« Ah, sire, pour m'être diverti, je me suis diverti. Mais maintenant, je meurs de faim. Que diriez-vous que nous passions côté buffet ? »

« Désolé de vous décevoir, amiral, mais il se pourrait que nous ne mangions pas. »

L'amiral, perplexe, s'aperçut soudain qu'Ema manquait. Thibault fit un signe dans la direction des danseurs. Ema tentait d'entraîner son partenaire vers eux; celui-ci tentait en revanche de l'entraîner vers l'autre bout de la cour extérieure.

« Je ne les ai pas quittés des yeux, amiral. »

« Voilà. Je le savais bien. C'est exactement ce que je vous disais, sire. Il y a attraction! Vous niez l'évidence. »

« Je ne nie pas l'évidence, puisqu'elle est évidente. Vous ne comprenez pas, amiral. Cet homme entend la récupérer. Il entend la reprendre ce soir même, l'occasion est trop belle. »

« Mais de quoi parlez-vous, sire? La récupérer? Il s'agit d'une personne, pas d'une paire de galoches. »

« Je ne suis pas certain qu'il sache faire la différence. »

Malaquias et Ema s'approchaient, justement. Au passage, Thibault accrocha le bras d'Ema et l'attira fermement vers lui.

« Vous dansez bien mal, ma chérie, ce soir, remarqua Thibault d'un ton anodin. La chaleur vous incommode? »

Malaquias se planta les mains sur les hanches devant le prince. L'effet était risible : Thibault le dépassait de deux têtes.

« C'est vous, l'incommodant, à ce qu'il me semble. Que vos manières sont mauvaises ! » s'insurgea Malaquias. Il ajouta d'un ton suave : « Signorina, reprenons donc où nous en étions. »

« C'est que ma fiancée est de santé fragile, monsieur Del Puente. La mer la fatigue, voyez-vous. Elle doit souvent se reposer. »

Le petit homme pâlit presque autant que l'amiral. Il posa une main sur sa poitrine.

« Votre *fiancée*, prince ? » fit-il.

« Ma fiancée, certes. De quoi donc vous étonnez-vous ? »

« C'est que la signorina Ejea n'est pas en mesure de se fiancer ainsi au premier prince qui passe. »

« Et pourquoi ? Qu'on me l'explique. »

« Elle m'appartient. »

« Tiens donc. Elle vous appartient. »

« C'est écrit noir sur blanc sur papier. J'ai payé la somme requise et elle m'appartient. »

« On dirait que vous parlez d'une paire de galoches, monsieur Del Puente. N'est-ce pas, amiral ? Personnellement, si j'étais femme, je ne vous suivrais pas. »

« Si vous étiez femme, je ne vous aurais pas choisi. »

Malaquias avait haussé le ton. Les gens se retournaient. Le chambellan revenait sur ses pas en jouant des coudes.

« Voyons, voyons, qu'est-ce qui se passe ? Nos convives ont-ils besoin qu'on les assiste ? »

L'amiral voulut sauter sur l'occasion de présenter ses hommages, mais Thibault ne lui en laissa pas le temps.

« Oh, chambellan, vous arrivez à point. J'aimerais qu'on nous raccompagne à bord dès maintenant. »

« Mais, prince Thibault, la soirée est encore jeune et d'autres divertissements se préparent sous le chapiteau… »

« C'est dommage, en effet, dit Thibault. Mais ma fiancée se sent mal et j'aimerais qu'elle consulte notre médecin de bord. »

« Votre… fiancée, sire ? » s'étonna le chambellan en questionnant l'amiral du regard.

« Oui, de fait, la… comment dire, la fiancée du prince se trouvera mieux à bord, confirma l'amiral d'un air constipé. Dans sa cabine », ajouta-t-il pour faire plus vrai.

« Mais je m'étonne que Tourniev n'ait pas eu vent de cette alliance, prince. La moitié de nos demoiselles espèrent encore s'unir à vous. Nous nous serions d'ailleurs volontiers déplacés pour l'événement… »

« C'est que les fiançailles ont eu lieu en haute mer », expliqua Thibault.

« J'en conteste la légalité ! » s'écria Malaquias Del Puente Saez.

« Expliquez donc vos raisons au chambellan, rétorqua Thibault. Et voyons s'il les jugera louables. »

Malaquias ne dit rien. Tous les pays qui échangeaient avec Villadeva faisaient semblant d'ignorer sa nature véritable. Il comprenait l'effet que la réclamation d'une esclave pourrait avoir sur une telle assemblée : c'était comme d'avouer une maladie honteuse sur l'estrade du chapiteau. Les relations commerciales de Villadeva en souffriraient de façon désastreuse. Il perdrait son poste d'ambassadeur.

« Bien, conclut Thibault. Voilà qui est réglé. Chambellan, faites-nous raccompagner, je vous prie. »

« Je vous dis *à la prochaine*, fit amèrement Malaquias. Je vous dis même *à bientôt*. Vous entendrez parler de moi. »

« Je n'en doute pas, répondit Thibault. Au plaisir. »

Malaquias fustigea Ema du regard en lui lançant une dernière phrase dans le dialecte de Villadeva. Elle se mit à trembler ; il l'avait appelée par le numéro qui remplaçait son nom en captivité. Thibault lui entoura la taille. L'assemblée qui s'était resserrée autour d'eux s'ouvrit dans un murmure pour les laisser passer. L'amiral les suivait en titubant presque. Cet épisode l'avait choqué. Sur l'embarcation d'honneur qui les menait vers l'*Isabelle*, il ne cessa de grommeler.

Une fois à bord, il se tourna vers Ema pour dire d'un ton sec :

« Tu voudras bien nous excuser, le mousse. J'ai à m'entretenir avec ton *fiancé*. »

Le chef de hune crut qu'il avait bu et échangea un coup d'œil avec un gabier. L'amiral suivit Thibault dans le carré, claqua la porte derrière lui et se mit à hurler :

« Fiançailles en haute mer ? FIANÇAILLES EN HAUTE MER ? Et puis quoi encore, sire ? Maintenant vous nous mettez tous devant un fait accompli. »

« Calmez-vous, Dorec, c'est bien plus simple que vous ne le pensez. »

« Plus simple ? PLUS SIMPLE ? Sire ? »

« Si elle est d'accord, nous n'avons qu'à accomplir le fait. »

L'amiral faillit s'étrangler dans sa propre salive. Tout ce qu'il put répondre fut : « Aaaargh ! »

« Écoutez-moi bien, amiral. Ou je trouve le moyen d'épouser Ema ou je meurs sans descendance. Songez à l'avenir du royaume. Est-ce que je me fais bien comprendre ? »

« Aaaargh, sire... »

« Est-ce que vous m'avez bien compris ? Dorec ? »

L'amiral serra les lèvres. Il ferma les yeux pour mieux respirer. Il eut soudain l'air très âgé.

« Veuillez vous retirer, maintenant. »

L'amiral rouvrit les yeux. Ils étaient remplis de larmes. Alors qu'il se dirigeait vers la porte, les épaules basses, Thibault le rappela.

« Albert ? »

L'amiral sursauta ; seuls Albéric, son roi, et Gwendoline, son épouse, l'appelaient par son prénom.

« J'ai passé l'âge des chaperons, Albert. Même mon père sait que vous n'y pouvez rien. »

CHAPITRE IX

Le lendemain en milieu de matinée, l'infirmier et le chirurgien se mirent à préparer des onguents sur le foyer de la cuisine. Ils mêlaient des résines, des encens, des huiles, des métaux, des graines. Certaines potions se montraient efficaces ; toutes étaient nauséabondes. Thibault profita de leur absence pour se risquer à l'infirmerie. Le rideau entrouvert laissait voir Ema, de dos, en train de mettre de l'ordre. Elle reconnut le pas soucieux du prince, mais ne se retourna pas.

« Bonjour, sire », dit-elle seulement en extirpant une seringue à pus d'un bandage enduit de cire d'abeille.

« Ema, je… »

« Ne vous inquiétez pas, sire, je comprends. C'était un cas d'extrême nécessité. »

« Mais Ema, je… »

« Sire, j'ai bien réfléchi. Je vous ai causé assez d'ennuis comme ça. Il vaut mieux que je reste à bord pour la prochaine escale. »

« Vraiment ? »

« Vraiment, sire. »

Il serra le rideau dans une main. Elle lui tournait toujours le dos.

« Il n'y aura pas de Malaquias Del Puente Saez à Virage. Le roi Fénélon ne reçoit pas Villadeva. Il n'accepte même pas ses navires dans le port. »

« Je sais, sire. »

« Comment tu le sais ? »

« Je vais au nord, souvenez-vous, sire. Je me suis renseignée. »

« Et pourtant, tu es descendue à Tourniev. Tes renseignements ne t'avaient pas prévenue ? »

Ema se mordit la lèvre.

« … Oui. Oui, sire, je savais qu'il y avait un risque. Un risque faible. »

« Alors pourquoi tu es descendue ? »

« À Virage, je ne descendrai pas, sire. C'est tout décidé. »

« Tu n'as pas répondu à ma question. »

« Non, sire. »

« Bon. »

Thibault se gratta la tête.

« Vous vouliez me dire quelque chose, sire ? »

« Non, non… Rien. »

Elle n'avait pas cessé de lui tourner le dos. Son refus de descendre à Virage, elle se l'était arraché à elle-même. Elle ne voulait pas que Thibault remarque ses paupières rougies ni son visage défait. Ces détails n'échappèrent pourtant pas à Lucas quand il revint avec les bouillies.

« Qu'est-ce qui se passe, Ema ? »

« Tout va bien. »

Il la jaugea un instant, puis risqua :

« Je viens de croiser le Thibault. Il fait la même tête que toi. »

Thibault, de fait, s'était rendu au pont avant pour contempler un peu l'horizon et pour avoir lui-même le loisir de tourner le dos à tout le monde. Il fut déçu : Roland enfourcha le garde-fou, l'air pressé.

« Sauf votre respect, sire », fit-il avant de se ruer aux latrines.

***

Ni Thibault, ni Ema, ni l'amiral ne firent allusion à ce qui s'était passé à Tourniev. Tout se déroulait comme si de rien n'était. L'amiral nota seulement que le prince semblait retranché par moments, et distrait. Il lui fit même échec et mat, ce qui n'était pas peu dire. Après quoi, il ordonna qu'on refasse tous ses nœuds en cachette et s'arrangea pour le tenir loin des gréements. Thibault ne s'en aperçut même pas.

Il manquait deux semaines avant la toute dernière escale à Virage, le royaume-mère. C'est un prince de Virage qui avait autrefois fondé Pierre d'Angle. Épris d'une bergère, il l'avait préférée au trône. Son père, pour le punir, l'avait exilé sur le bout de caillou battu par les vents, sans même savoir s'il pourrait l'aborder. Les deux royaumes s'étaient réconciliés depuis. Ils partageaient des lois et une culture similaires, une langue presque identique. Ils maintenaient des relations cordiales. Le roi Fénélon de Virage était même le parrain de Thibault. La différence majeure tenait à la flotte et à l'armée du royaume-mère, ainsi qu'à ses collines parsemées de forteresses et de tours de surveillance. Pas un palais sans pont-levis ni un marchand sans garde du corps. Virage était une force militaire, Pierre d'Angle une oasis de paix.

Les deux semaines passèrent vite. À cause des escales régulières, l'*Isabelle* était ravitaillée en produits frais et la vie à bord était plus confortable. On ne faisait plus que du cabotage, sans les risques de la haute mer. Les hommes, contents de pouvoir se dégourdir, étaient de meilleure humeur. Le mois d'avril venait de finir, le temps s'adoucissait, le vent du midi était favorable et la pluie qu'il annonçait habituellement ne semblait pas venir.

Tout à la joie de l'escale, les marins ressassaient constamment l'opulence de Virage.

« Les beignets d'or, les fraises sauvages à peine cueillies, les œufs de caille », rêvait le cuisinier, à table, en faisant bouger sa cuiller comme un chef d'orchestre.

« Ah oui! Et les grosses pêches juteuses! » s'écria Roland.

« Gros nigaud, les pêches, c'est à l'automne », le corrigea le cuisinier.

« Et les beignets d'or, en hiver », remarqua le géologue.

« Vraiment? » s'étonna le cuisinier, mortifié.

« Pour les Fêtes de janvier », confirma l'amiral.

« L'auberge des Lorgnettes, par contre, c'est toute l'année », rappela un gabier d'un ton plein de sous-entendus qui souleva un concert de rires gras.

« Un peu de retenue, devant la demoiselle », coupa le second.

« Lui a-t-on parlé de l'horloge de verre? » demanda l'amiral pour changer de sujet.

« Tiens non, fit Thibault. Qui n'a jamais vu l'horloge de verre? »

Georges leva la main, Ema leva ses pinces.

« Un objet extraordinaire, nota le charpentier. Vraiment remarquable. »

« C'est une horloge dont tout le mécanisme est transparent, expliqua Thibault. Personne ne sait qui l'a construite, ni comment elle fonctionne. »

« Mais elle fonctionne, ça c'est sûr », nota Félix.

« On dit même, ajouta l'amiral, qu'après le tremblement de terre, c'était le seul objet encore intact. »

« Incroyable, tout de même », siffla un matelot.

« Une légende, voyons », rétorqua le chirurgien.

« On l'ignore, à vrai dire, opposa l'infirmier. Il y a bel et bien des choses qu'on ignore. » L'étroitesse d'esprit du chirurgien lui devenait intolérable.

« J'aimerais bien voir cette horloge », dit Ema.

« Elle est dans la cour du palais », répondit Thibault.

« Ah », fit-elle, dépitée.

« Albéric, notre roi, adore l'horloge de verre », s'écria l'amiral d'un ton plein de déférence.

« C'est vrai, renchérit Thibault. Il dit que l'horloge ressemble au cœur d'un bon roi et qu'à l'extérieur de Pierre d'Angle, ils sont aussi rares l'un que l'autre. »

« On peut difficilement y lire l'heure, par contre », enchaîna Ovide.

« Mon père dit aussi qu'un bon roi garde son cœur sous sa tunique », rétorqua Thibault en soupirant inexplicablement.

Entre deux lampées de soupe froide, les hommes songèrent soudain à leur bon roi, à leur pays. Dans l'incertitude de l'expédition, ils n'avaient pas eu le luxe de la nostalgie. Mais, en toute fin de parcours, Pierre d'Angle commençait à vraiment leur manquer.

« Tout de même, les Lorgnettes... » crut bon de rappeler le gabier.

***

Le soir qui précéda l'arrivée à Virage, Ema demeura longtemps debout contre la rambarde de la dunette. Dans le noir, le ciel et la mer étaient indivisibles, et l'*Isabelle* semblait se frayer un chemin parmi les étoiles. Ema aimait rester là, à cultiver l'illusion qu'elle allait bien finir par arriver quelque part.

Il lui en coûtait de ne pas descendre avec Thibault. Jamais elle ne s'était sentie aussi heureuse qu'en dansant avec lui. Dès qu'il la touchait, même le plus légèrement du monde, le prince lavait comme par magie toute la boue de ses souvenirs. Mais elle ne voyait pas d'autre solution. Elle ne se pardonnait pas l'épisode de Malaquias Del Puente Saez. Thibault s'était trouvé plongé dans une situation délicate, il s'était compromis en public. Il avait menti pour la tirer d'embarras, tout comme il la faisait danser pour éviter les conversations mondaines. Elle n'aurait jamais dû se risquer à terre. Tout n'avait été qu'un pénible malentendu.

« On ne fiance pas les esclaves aux princes », se répétait-elle, avec, chaque fois, l'impression qu'un poignard la transperçait.

Malgré son trouble, quelque chose retint soudain son attention : Gloriole, la constellation des souverains, venait de s'éteindre. « Impossible », songea-t-elle. Mais une autre constellation s'éteignit. Puis une autre et une autre encore, jusqu'à ce que le ciel soit aussi vide et profond que la mer invisible. Un sentiment d'apocalypse l'envahit, une peur vertigineuse. Elle allait se lever pour chercher le veilleur de nuit, quand la voûte céleste se ralluma d'un coup. Toutes les étoiles étaient revenues en place. Avaient-elles seulement bougé ?

Ema savait parfaitement qu'elle n'avait pas rêvé. Le même signe lui était apparu lorsqu'elle était enfant. Et sa vie avait alors brusquement changé. Elle ne quitta pas la dunette, ni ne trouva le repos. Elle garda les yeux grands ouverts jusqu'au lever du soleil.

À l'aube, l'air était doux et serein. Pourtant, Ema était toujours aux prises avec son sentiment d'apocalypse, avec sa peur noire et froide. Ce n'était pas pour elle-même qu'elle craignait. Elle n'avait rien à perdre, ayant déjà, depuis longtemps, tout perdu. Elle craignait pour le prince.

Après avoir refusé de l'accompagner à Virage, elle ne lui avait plus adressé la parole. Maintenant, il fallait absolument qu'elle lui parle.

Elle se rendit au pont du gouvernail, où se tenait Thibault, le nez au vent. Passé l'étonnement de la voir s'approcher de lui, il remarqua ses traits tirés.

« Tu ne te sens pas bien, moussaillon ? »

« J'ai mal dormi, sire. »

« Il faisait froid ? »

« Non. Non, sire. C'est autre chose. »

« Quoi donc ? »

Elle le regarda sans répondre. Ses yeux étaient d'un gris foncé qui virait sur le charbon, avec une expression fébrile, presque sauvage. Il frissonna.

« Tes yeux… » fit-il malgré lui.

« Pardon, sire ? »

« C'est donc vrai qu'ils changent de couleur… »

« Oui, sire. Ils sont pers. »

« Qu'est-ce qui les fait changer ? »

« Mon humeur, sire. »

« C'est étrange, je n'avais jamais remarqué. »

« C'est que mon humeur aura toujours été la même en votre compagnie, sire. »

Il sourit. Elle baissa la tête.

« Pas aujourd'hui », dit-il.

« Non, pas aujourd'hui, sire. »

« Qu'est-ce qui se passe, Ema ? »

« J'ai un mauvais pressentiment, mon prince. »

« À quel sujet ? »

« Je n'en suis pas sûre, sire. J'ai vu... un signe. »

« Un signe ? »

« Ce n'est pas la première fois, sire. La première fois... »

Elle hésitait. Il attendit.

« La première fois, mon père venait de mourir, sire. Et ma mère... »

« Ta mère ? »

« Ma mère, après, on l'a forcée... on l'a trompée... enfin... sire... »

« On a forcé ta mère à te vendre ? Ema ? »

« Oh non, sire. Ma mère ne m'aurait jamais vendue. Jamais. On lui a dit qu'on m'enseignerait des choses, qu'on ferait de moi une… une dame, ou quelque chose comme ça. Qu'on me donnerait une éducation. »

Elle s'interrompit. Ses yeux devenaient de plus en plus foncés. Il se taisait, dans l'espoir qu'elle parle enfin.

« Ma mère était perdue sans mon père », continua-t-elle d'une voix lointaine, comme dans une sorte de transe. « Ils avaient fini par s'affranchir, vous savez. Après deux générations d'économies minuscules. Une pièce à l'année, deux, trois peut-être, en se serrant la ceinture. Vous savez ce que font les esclaves affranchis de Villadeva ? Dès qu'ils sont libres, ils font faire leur portrait. Parce qu'on dit que les esclaves n'ont pas de visage. Mes parents n'ont pas fait faire leur portrait, ils ont fait faire le mien. Le petit médaillon. La vérité, c'est que le meilleur de leur vie était déjà derrière eux. Ils n'avaient plus de santé. On les avait usés jusqu'à la corde, sire. Ils disaient qu'ils n'avaient plus qu'une seule chose, la chose la plus précieuse au monde, et que c'était ma liberté. Jamais ils n'auraient fait de moi une esclave. Jamais. On a trompé ma mère. Je ne l'ai plus jamais revue. »

Elle se tourna brusquement vers le large, stupéfaite de s'être ainsi livrée. Pendant si longtemps, sa survie avait dépendu de sa capacité à se taire ou à mentir. Depuis l'âge de dix ans, depuis le jour où on l'avait emmenée avec sa toute petite valise, le médaillon au cou, elle avait gardé pour elle cette dernière image, celle de sa mère. Une femme déjà vieille qui lui avait tout donné, qui l'avait aimée sans réserve et dont les mains fatiguées avaient pris soin de son enfance dans les pires conditions. Chaque jour, elle priait le ciel pour que sa mère soit en paix. Vivante ou morte, peu importe, pourvu qu'elle ait trouvé la paix.

On n'avait pas fait d'Ema une dame. On l'avait soumise aux besognes les plus dures et les plus dégradantes. À l'âge de treize ans, on s'était aperçu qu'elle serait belle. Le hasard du métissage lui avait donné ces yeux clairs et cette peau lisse, saine et foncée, couleur café au lait. On la surprit aussi à danser de nuit, merveilleusement bien. Danser comme seuls savent danser les esclaves, sans musique ni fête, juste pour faire bouger l'air torride de leurs baraques et se sentir vivants. À partir de ce moment, on lui avait épargné les travaux qui l'auraient endommagée, on l'avait mieux nourrie, on avait préservé ses dents blanches. Lorsque, deux ans plus tard, Malaquias Del Puente Saez était venu marchander son acquisition, il avait payé le gros prix, et comptant.

La même année, Ema avait fait fondre ses chaînes au-dessus du feu. Le métal rougi la brûlait vive, mais elle n'avait pas crié. Elle pensait à sa mère. Elle lui devait d'être libre. Elle avait brisé une fenêtre et s'était jetée dans l'eau noire du canal. Elle avait nagé sous la surface le plus longtemps possible, la bouche remplie de vase. À chaque coup de brasse, il lui semblait que ses poignets brûlés allaient se détacher de son corps.

Pendant les jours, les semaines, les années qui suivirent, d'une façon ou d'une autre, elle avait trouvé à manger. Elle était passée d'île en île, elle avait appris les langues et l'alphabet, elle avait accepté n'importe quel travail. Surtout, elle avait observé, écouté, réfléchi. Elle voulait comprendre comment vivent les gens libres. Ce qu'ils choisissent et pourquoi. Et c'est ainsi que son rêve avait pris forme, son rêve d'un royaume du nord au souverain honnête. Elle s'était bien informée : il n'y avait qu'un seul de ces royaumes. Loin, très loin au nord. Elle s'était beaucoup appliquée pour apprendre la langue. Elle avait longtemps attendu le bateau.

Un pas de course la tira de ses souvenirs et empêcha Thibault de dire quoi que ce soit. Le second s'empressait vers la barre :

« Nous y sommes presque, mon prince. Nous commençons à virer. »

« Bien. Parfait Guillaume, balbutia Thibault. Allez, je te laisse gouverner en paix. »

« À quelle heure descendons-nous, ce soir, sire ? » demanda Ema.

Thibault, pris par surprise, hésita un instant.

« Eh bien, moussaillon… Si tu veux voir l'horloge, débarquons tôt. Je demanderai une audience avant le coucher du soleil. »

« Merci, sire. Espérons que l'audience vous soit accordée. »

Guillaume, de la barre, leur jeta un coup d'œil. Il les trouvait bizarres, tous les deux. Comme si l'espace entre eux était d'une nature différente du reste du bateau. Après chaque escale, c'était pire encore.

Chapitre X

Ema ne vit pas l'horloge de Virage. Il n'y eut ni réception, ni danse, ni banquet.

Dès qu'on lui manda un émissaire, le roi Fénélon réclama Thibault le plus vite possible. Il l'invitait à partager son repas du midi. Thibault trouva étrange l'empressement du roi et ordonna que tous les hommes restent sur le bateau pendant son absence. Il demanda à Ema si elle voulait toujours l'accompagner, même sans raison mondaine. L'amiral, irrité, grimpa vers sa cabine en trébuchant dans l'escalier.

Le monarque les reçut d'un air tragique, vêtu de noir de pied en cap. Il se tenait seul au milieu de la salle de bal aux tentures fermées, à l'odeur de poussière et de jour de pluie. Les énormes portes de cuivre ouvragé se refermèrent sur eux dans un claquement sinistre. Le vieil homme, aussi pâle de cheveux que de visage, les considéra avant de s'avancer. Devait-il parler devant cette inconnue ? Ce qu'il avait à dire était si grave. Son regard passait de l'un à l'autre. Au bout d'un moment, il décida qu'il n'était pas sage de les séparer.

Il s'approcha à lentes enjambées rhumatoïdes. Il ne souriait pas. À chaque pas il semblait s'effriter davantage, tant sa peau était sèche. Il parvint enfin à la hauteur de Thibault. Au prix d'un effort évident et de craquements considérables, il posa un genou par terre. Il leva la main sur sa poitrine en prononçant lentement : « Votre Majesté. »

Thibault eut un coup au cœur. Il recula d'un pas.

Le roi Fénélon tentait de se relever. Deux énormes larmes roulaient sur son visage. Ema se pencha pour l'aider. Lorsqu'il fut debout, il plaça ses mains frêles sur les épaules de son filleul.

« Soyez le grand roi que vous avez toujours promis d'être. »

« Que s'est-il passé ? interrogea Thibault. Quand ? Comment ? »

Le roi Fénélon mit un doigt sur ses lèvres. La salle de bal était pourtant vide. On n'y avait plus tenu de fête depuis la mort de la reine Roxzine.

« Les murs ont des oreilles, murmura-t-il. Venez. »

Thibault saisit la main d'Ema et la serra trop fort. Fénélon les mena dans un boudoir par une porte camouflée. Il avait fait préparer deux couverts sur une table d'ébène poli qui encombrait la pièce étroite. Les chandelles jetaient une lumière tremblotante sur la porcelaine, l'or et le verre soufflé. Jamais Thibault n'avait vu de table si mélancolique.

Fénélon ordonna qu'un troisième couvert soit dressé et leur fit signe de prendre place.

De toute évidence, il était accablé. Il avait toujours admiré la droiture d'Albéric. Lui-même rêvait d'un peuple épargné par la guerre, mais il n'avait eu ni la force ni le courage de pacifier son royaume. Il en gardait un sentiment d'échec et une insomnie chronique. La mort d'Albéric, d'une certaine manière, venait de mettre un terme définitif au rêve qu'il avait toujours reporté.

Ils avalèrent la bisque d'huîtres en silence. Chaque bouchée leur semblait plus triste que la précédente. Lorsqu'il eut fini, Thibault posa délicatement sa cuiller.

« A-t-il souffert ? » demanda-t-il tout en craignant la réponse.

« Il est en paix, maintenant », se contenta de répondre le roi.

« Depuis quand ? »

« Trois jours. »

« Trois jours ! Comment l'avez-vous su si vite ? Nous sommes à dix jours de mer par beau temps. »

« Goéland voyageur. »

« Mais… »

« C'était la seconde communication réussie, après des années d'expérimentation. Et il fallait que des nouvelles si tragiques me parviennent ! J'ai tout gardé pour moi. Pour vous. Je n'ai rien dit à personne. J'attends que l'avis de décès nous arrive officiellement de Pierre d'Angle. »

Le roi s'essuya le coin des lèvres avec sa serviette de soie.

« Thibault, reprit-il, la loi de succession stipule… »

« Je sais. À minuit sonné, le douzième jour suivant le décès du roi, le trône sera comblé. Trois jours ont déjà passé. Il m'en reste neuf pour réclamer la couronne. »

« Tout juste. »

La loi de Pierre d'Angle était calquée sur celle de Virage. On n'y restait jamais sans souverain pendant plus de douze jours. Après ce délai, on estimait que le désordre risquait de s'emparer du royaume. Lorsqu'un souverain mourait, son veuf ou sa veuve n'avait aucun pouvoir. La couronne était léguée à la génération suivante, quel que soit l'âge du fils ou de la fille aînés du défunt. Le second en ligne était le frère cadet ou la sœur cadette. Si Thibault tardait trop à arriver, Jacquard ne laisserait pas passer l'occasion d'intercepter la couronne. Pierre d'Angle était à dix jours de mer, et il ne leur en restait que neuf. C'était un défi presque impossible. Il faudrait appareiller immédiatement et prier pour avoir des vents favorables.

Un valet se glissa aussi prestement qu'une loutre le long de la table. Il retira les bols et revint chargé d'un saumon entier.

« Je ne mange plus que du poisson », s'excusa Fénélon.

Dès que le valet eut refermé la porte, il entreprit de couper les parts. Il maniait le couteau comme un escrimeur et, de fait, il avait eu ses bons jours.

En servant la part de Thibault, il murmura : « Soyez prudent, sire. »

En se servant la sienne, il ajouta : « Une mort inexpliquée. »

« Inexpliquée ? »

« Suspecte », fit sombrement Fénélon, l'air plus vieux que jamais.

« C'est-à-dire ? » demanda Thibault, tendu.

« Suspecte », répéta Fénélon dans un souffle, comme s'il expirait lui-même en prononçant le mot.

« Votre Majesté ! » s'écria Thibault, soudain furieux. Il allait se lever de table, mais Ema posa une main sur son avant-bras. « C'est impossible ! Jamais un souverain de Pierre d'Angle n'est mort assassiné. Pierre d'Angle n'a pas d'ennemis ! Aucun de ses souverains n'a eu d'ennemis, et mon père moins que tout autre. »

Fénélon partageait la surprise et l'indignation de Thibault. Il ne cessait de hocher la tête, penché si bas sur son saumon qu'il le frôlait du nez. Il prononça enfin, très lentement : « Vous avez raison, mon cher filleul. Albéric, qu'il repose en paix, n'avait pas d'ennemis *à l'extérieur* de Pierre d'Angle. »

Thibault recula dans son siège : « Mais… mais, roi Fénélon, insinuez-vous que… »

« Je n'insinue pas, corrigea calmement Fénélon. Je cherche à vous aider. »

Thibault réfléchissait. Fénélon ajouta avec un sourire triste :

« On ne m'en passe pas une, mon garçon. C'est le seul avantage de ma pauvre vieillesse. »

Thibault essuya d'une main son front en sueur.

« Puis-je alléger ma tenue, Votre Altesse ? » demanda-t-il et, sans attendre la réponse, il retira son justaucorps, ouvrit son col de chemise et remonta ses manches. Il était en nage. Les coudes sur la table, il ignora complètement le plateau de fromages et la salade de cresson que le valet venait d'apporter en douce. Il avait déjà trop tardé à poser la question qui le hantait.

« De qui vous venait la missive ? »

« De source fiable et avisée, mon garçon. De votre précepteur, Clément de Frenelles. »

Thibault pâlit. Frenelles n'aurait pas fait ce geste à la légère. Il avait sûrement écrit dans l'espoir de le mettre en garde et de presser son retour.

« J'avais écrit à Albéric, expliqua le roi, et c'est Frenelles qui m'a répondu. Il était le seul à connaître notre correspondance. Il a pris un risque énorme. Certaines de nos missives ont échoué à Tourniev ou à Vergeray. Nous écrivions toujours des choses banales et jamais nous n'apposions notre signature. »

« Et Frenelles a signé ? »

« Bien sûr que non. J'ai reconnu ses pattes de mouche. Il sait parfaitement que j'ai lu toute son *Encyclopédie des mondes naturels et surnaturels*. »

« Je peux voir la missive ? »

« Je l'ai brûlée, Thibault. Pour qui me prenez-vous ? »

« Pardon, Votre Majesté. »

« Bien sûr, je l'ai apprise par cœur. »

Thibault leva vers lui des yeux fiévreux. Le roi récita :

« *Correspondant parti ce matin sans laisser d'adresse, ni de raison valable. Ne reviendra jamais.* »

« Dans ce cas, parrain… » murmura Thibault, ébranlé. Il se tourna vers Ema pour terminer sa phrase : « Nous levons l'ancre dans l'heure. »

« Très bien, Thibault », répondit-elle en posant sa serviette sur la table. « Levons l'ancre. »

« Vous nous excuserez, sire. Nous partons, comment dire, pour des raisons valables. Remerciez pour moi le cuisinier. Sa fameuse bisque d'huîtres… »

« Vous l'aimiez déjà enfant, cette bisque. Je l'ai fait préparer à votre intention, à la toute dernière minute. Le cuisinier avait peur de ne pas l'avoir laissée mijoter assez longtemps… »

« Quant à votre goéland… ajouta Thibault, le sort de Pierre d'Angle sur de si petites ailes… »

« Je le ferai chevalier », promit Fénélon en s'efforçant de sourire.

Fénélon sembla soudain se souvenir de quelque chose et se rendit, avec une lenteur effrayante, dans un coin sombre du boudoir. Il en revint avec un coffret serti de perles nacrées contenant un remarquable pendentif d'argent.

« Voici un hommage qu'Albéric, paix à son âme, avait offert à la reine Roxzine le jour de notre mariage. Ah! Il était si jeune à l'époque. Nous étions tous si beaux, si fiers, si sûrs de nous-mêmes… » Sa voix était empreinte de nostalgie. « Je vous le rends, mon garçon, j'ai plaisir à ce qu'il vous revienne. »

« Merci, parrain », dit Thibault en inclinant la tête.

Ils laissèrent le vieux monarque comme ils l'avaient trouvé, seul au milieu de la vaste salle, ses vêtements noirs se confondant avec l'obscurité. Juste avant qu'on ne referme les portes de cuivre sur eux, il lança encore : « Le ciel vous garde… »

Mais sa voix était si faible qu'ils ne l'entendirent pas.

***

Thibault demanda à la garde royale de les raccompagner à pied jusqu'au port. Un carrosse devrait faire le tour de la ville pour éviter les rues trop étroites et serait ralenti par la foule qui s'amasse toujours autour des cortèges princiers. Le petit groupe s'enfonça dans les dédales de la ville. Ils progressaient à bon pas, lorsqu'un garçon chétif se mit à courir devant eux en se retournant sans arrêt. Il examinait Thibault et Ema sans aucune gêne, comme s'il n'avait jamais rien vu d'aussi fascinant.

« Pousse-toi, garnement », lui répétaient les gardes en l'écartant avec rudesse.

Mais le garçon insistait et se glissait encore parmi eux pour les dévisager. Un garde finit par le prendre au collet et le jeter contre un mur. Il allait le frapper avec son bâton, quand Ema exigea qu'on le laisse tranquille. De là où il tomba, il se mit à crier : « Ne partez pas, ne partez pas ! J'ai besoin de vous ! »

Ema s'arrêta net. « Allons voir ce qu'il veut », dit-elle à Thibault.

« Nous n'avons pas le temps. »

Ema prit son air buté.

« Qu'est-ce que cinq minutes, Thibault ? Ce garçon dit qu'il a besoin de nous. »

« Cinq minutes, fit le garçon, puis, juré, je vous montre un raccourci jusqu'au port. Vous allez bien au port ? »

Sans attendre la réponse de Thibault, Ema suivit le gamin dans une rue transversale aussi étroite qu'une aiguille de pin. Dans l'ombre, seule la soie rouge de sa robe était encore visible. Les autres leur emboîtèrent le pas, de mauvais gré. Après avoir gravi trois escaliers raides et humides, une arche croulante et deux passages aux relents de poisson frit, ils s'engouffrèrent finalement dans une cave. Des braises mourantes donnaient vaguement à la pièce un air de logis. Une forme humaine d'une maigreur effrayante gisait dans un lit aux draps tachés. Le garçon y courut à grandes exclamations.

« Grand-père, grand-père ! J'ai trouvé, grand-père, je crois que j'ai trouvé ! »

Il aida le vieil homme à se soulever dans sa couche. De grands yeux malades s'écarquillèrent dans le visage squelettique. Ils scrutaient Ema et Thibault de pied en cap, sans omettre un seul détail. Tout à coup, le corps ravagé s'illumina. Les marques de la souffrance s'envolèrent comme des poussières dans la brise. La bouche édentée s'ouvrit et le vieillard murmura :

« Oh, Lysandre. Je peux enfin mourir en paix. »

Il ferma les paupières. Lysandre guida sa tête vers l'oreiller et ramena la couverture sur ses côtes saillantes.

« Tu es un bon garçon », souffla encore le grand-père, puis sa bouche resta béante. Il venait de rendre l'âme.

Lysandre se jeta à son cou. Les gardes se mirent au garde-à-vous en claquant des talons, une main sur le cœur, comme le voulait la coutume. Thibault s'avança vers le lit. Il prit le garçon par les épaules et le releva doucement.

« Où sont tes parents ? »

« Je n'ai que mon grand-père. »

« Personne d'autre ? »

« Je n'ai que mon grand-père. »

« Tu as quel âge ? »

« Onze ans. »

Thibault fut surpris. Il lui en donnait tout juste neuf. D'une manière ou d'une autre, l'idée de le laisser seul au monde le bouleversait. Sans même réfléchir, il dit :

« Alors viens-t'en, moussaillon. Prends ton bagage. Nous levons l'ancre cet après-midi. »

Ema jeta le contenu du pot de chambre sur les braises fumantes et couvrit le visage du défunt. Lysandre les avait précédés à la porte, mais demeurait les yeux rivés au drap sale.

« Tu n'emmènes rien ? » demanda Thibault.

« Je n'ai rien. »

« Absolument rien ? » répéta Thibault, incrédule, en survolant la chambre des yeux.

« Rien du tout. »

« Alors partons. »

Thibault le poussa doucement dehors. Le garçon s'enfila par le plus inattendu des raccourcis, à travers la cour d'une mégère qui en échappa son bol de soupe. Ils débouchèrent sur le port en quelques minutes.

L'*Isabelle* les attendait. Elle apparut différemment à Thibault : c'était son navire, maintenant, une part de son royaume. Il était terrifié. À peine monté à bord, il rassembla les hommes sur le pont principal. Son cœur battait beaucoup trop vite. Il eut du mal à élever la voix.

Aucune nouvelle n'aurait pu davantage ébranler l'équipage. Un murmure de surprise et d'affolement s'éleva. L'amiral porta une main à sa bouche. Soudain quelqu'un cria : « Le roi est mort, vive le roi ! » Son cri fut repris avec une telle ardeur qu'on l'entendit résonner jusque dans le marché du port. Ema et Lysandre, coincés entre toutes ces voix, furent tentés de s'y joindre. Mais Thibault leva la main pour les faire cesser.

« Nous sommes à dix jours de mer de Pierre d'Angle. Le trône est vacant. Je ne serai roi que si nous rentrons en neuf jours. Sinon… »

Cette fois, un frisson d'horreur parcourut l'assemblée. L'amiral ferma les yeux et pinça les lèvres.

« Levons l'ancre immédiatement », fit Thibault.

« Je mets le drapeau en berne ? » demanda André, le timonier.

« Non, répondit Thibault à regret. Nous mettrions le roi Fénélon dans l'embarras. La nouvelle n'est pas encore officielle. Guillaume, occupe-toi du départ. Amiral, rejoignez-moi au carré. »

L'amiral suivit Thibault d'un air funèbre. Ils souffraient autant l'un que l'autre, mais n'en dirent rien. Ils échangèrent un long regard qui parla à leur place.

« Dorec, vous savez comme moi ce qui est en jeu. Quel genre de royaume nous aurions sous Jacquard. »

« Certes, sire. »

« Soyez franc : quelles sont nos chances d'arriver en neuf jours ? »

« Vraiment, sire, elles sont minces. Nous n'arriverons en neuf jours qu'avec beaucoup de chance et en courant de gros risques. »

« Nous avons un excellent équipage. »

« Je ne vous le fais pas dire, sire. Pas un seul manque à virer, des prises de ris parfaites et ce cyclone, ah ! Quand je repense au cyclone… Un excellent équipage. »

« Tout de même, vous disiez. Beaucoup de chance, de gros risques… »

« Et je n'exagère pas, sire. Nous ne pourrons nous permettre la moindre erreur de navigation. Je ferai vérifier tous les calculs du navigateur par son aide. »

« Ou par Georges. »

« Ou par le gringalet, bien sûr. Sa carrière est assurée, celui-là. »

« Et puis ? »

« Et puis, sire, il nous faudra naviguer jour et nuit au maximum de notre capacité, en priant pour que rien ne lâche. Le quart de sommeil devra être réduit. Par vent fort, nous tenterons de dépasser la vitesse limite. Le surtoilage nous donnera un gain minime, mais gain tout de même. Vous connaissez les risques aussi bien que moi. Une voile se déchire et nous perdons un temps fou à la remplacer. Nous chavirons et c'est le drame. Je n'ai pas besoin de vous faire un dessin. Il nous faudra une coordination parfaite. Nous devrons à tout moment nous trouver prêts à donner de la barre. »

Thibault se gratta la tête et se mit à faire les cent pas.

« Si je peux me permettre, sire ? »

« Permettez-vous, amiral. »

« Vous craignez de mettre l'équipage en danger, sire, n'est-ce pas ? »

« Eh oui, amiral. Après dix-neuf mois de voyage… Nous n'avons perdu qu'une main, une phalange et un orteil… »

« C'est un bon pointage, en effet, sire. Peu d'explorateurs peuvent en dire autant et c'est tout à votre crédit. »

« Ce serait stupide de perdre des vies. Ainsi, à la dernière minute. Aussi près de la maison… »

« Sire, avec tout le respect que je vous dois et que je dois à la cour… Pierre d'Angle ne sera plus leur maison si votre frère prend le pouvoir. Les hommes préféreront risquer leur vie plutôt que de risquer votre règne. »

Thibault cessa brusquement d'arpenter le carré.

« Merci, amiral », dit-il.

***

L'après-midi se passa en manœuvres incessantes. Comme au sortir du port de Khyriol, l'*Isabelle* louvoyait pour attraper la moindre brise. Il fallut deux bonnes heures pour que l'air du large lui donne un peu d'allure. Les collines de Virage n'étaient alors plus que des poussières dans le sillage du navire. Elles finirent par disparaître complètement. On hissa le foc avec l'espoir de ne jamais devoir le baisser.

Lysandre rendit sept fois son déjeuner, agrippé à la rambarde. Les hommes le gratifiaient d'une petite claque sur l'épaule de temps en temps. Ils étaient tous passés par là. À un garçon de onze ans, il suffirait d'une journée pour acquérir le pied marin. Un banc de morues suivait le navire, attiré par les vomissures. On en profita pour faire bonne pêche.

Thibault n'avait pas quitté ses hommes. Il prit place à table avec eux, ce soir-là. Il aurait préféré être seul, mais ne voulait pas avoir l'air de les laisser tomber. Il suffoquait. Pour lui, le drapeau était déjà en berne et le resterait jusqu'à ce que justice soit faite. Il participa tant bien que mal à la conversation, mais ne réussit pas à toucher son assiette. Il se retira tôt.

Il passa une partie de la soirée à la dunette, où personne n'osa le déranger. Il finit par regagner le carré. Il ne prit pas la peine d'allumer les lampes. La mort de son père réveillait le souvenir de celle de sa mère, une blessure ancienne qui n'avait jamais tout à fait guéri. Il se mit à faire les cent pas. Tout lui revenait avec une clarté si douloureuse. La façon dont il avait grandi dans l'abon-dance de tout. Albéric qui l'emmenait avec lui dans ses tournées, le faisait grimper sur sa monture et lui expli-quait comment tenir les rênes et commander au cheval, le nom des arbres, les repères du paysage, les rudiments de la loi. Éloïse qui lui donnait un bain chaud dans une grande cuve de cuivre en l'écoutant déblatérer, puis se couchait avec lui sous l'édredon douillet et lui racontait la légende de la constellation d'Azalée qu'elle avait fait dessiner au plafond de sa chambre. Pour l'endormir, elle lui caressait doucement le front, là où la lumière s'était posée, le jour de son baptême.

Au lieu de le soulager, les cent pas multipliaient les images douloureuses. Il venait d'avoir six ans quand Éloïse était morte d'une morsure de vipère. Ce jour-là encom-brait sa mémoire comme s'il n'était jamais passé. Avant de rendre l'âme, elle l'avait fait chercher. Il se cachait dans la vigne épaisse, sous la fenêtre de sa chambre. Les valets l'avaient remonté par le collet, lui avaient débarbouillé le menton, les mains et les genoux, pour le conduire au chevet de la reine. Elle lui avait fait l'effet d'une éclipse de Lune. À vingt-huit ans, elle en paraissait mille. Pourtant, lorsqu'elle avait tendu la main, sa peau était plus douce que jamais. Il pouvait encore sentir ses doigts passer sur son front. Il pouvait l'entendre murmurer d'une voix presque inaudible :

« Thibault, tu te souviens de Miriam et d'Arielle, les étoiles d'Azalée ? Raconte-moi. Je suis si fatiguée. »

Il avait récité l'histoire qu'il tenait d'elle.

« Elles n'étaient qu'une seule étoile jusqu'au jour où un grand vent les éloigna l'une de l'autre. »

« Bien. Et tu te souviens de ce qui arriva à chacune d'entre elles ? »

« Oui. *Elles se sentirent tristes d'abord, puis elles se choisirent chacune un nom.* »

« Et qu'est-ce qui se passa quand elles choisirent leur nom ? »

« Elles se mirent à faire chacune sa lumière. »

« Exactement. »

Elle avait enfoncé la tête dans son oreiller, fermé les yeux et prononcé ses dernières paroles :

« Le temps passera, Thibault. Le temps passe toujours. »

Une heure plus tard, elle était morte. Albéric, inconsolable, avait déposé dans la rivière vingt-huit lys blancs fraîchement cueillis. Les fleurs avaient vogué jusqu'à l'estuaire puis disparu dans l'eau salée. Et voilà que maintenant son père lui-même venait de disparaître, sans qu'il ait pu le revoir, ni lui dire adieu, ni le remercier. Les mots qu'il n'avait pas dits s'entrechoquaient dans sa tête.

Des coups légers à la porte le firent sursauter. Il hésita, incertain.

« Moussaillon ? Entre… »

Ema referma doucement la porte derrière elle. Dans la pénombre, elle distinguait à peine le prince, immobile derrière sa grande chaise. Elle mesurait l'effort qu'il avait dû mettre à traverser l'après-midi et le repas avec contenance. Elle devina plus qu'elle ne vit son air d'enfant désemparé. Elle parla sans détour.

« Thibault, ton père est mort et tu n'as pas encore pleuré. »

Il mit du temps à répondre. Il serrait le dossier de la chaise. Dans l'obscurité, on ne voyait que ses phalanges blanchies, on n'entendait que son souffle inégal parmi les craquements de la coque.

« Aide-moi », dit-il enfin.

Elle avança en se heurtant la hanche sur un coin de la table et le coude contre la chaise d'ébène. Lorsqu'elle fut toute proche, elle s'arrêta pourtant. Elle ignorait comment on console un prince. Sachant que la permission devait venir de lui, il ouvrit les bras. Elle s'y glissa lentement et il la pressa contre sa poitrine. Sa chemise sentait le bois de cèdre et le savon blanc, comme le manteau dans lequel elle passait ses nuits. Elle entendait battre son cœur agité. Un long moment s'écoula ainsi. Il versa enfin une larme, sans savoir si elle venait de son bonheur ou de son deuil. Ema n'osait rien dire, de peur que cette étreinte n'existe qu'en rêve. Thibault lui-même la serrait de plus en plus fort, comme pour s'assurer qu'elle était bien solide, bien réelle, bien arrimée à lui. Ils n'en pouvaient plus d'être tenus à distance l'un de l'autre par les règles absurdes de la bienséance.

« Reste avec moi, ce soir, Ema. S'il te plaît. Tu peux dormir dans le lit. Je me coucherai par terre. »

« Par terre ? Un roi ? Je me coucherai par terre, j'ai l'habitude. »

« Par terre ? Une reine ? »

Un éclair de panique traversa Ema. Elle s'arracha à lui en se cognant de nouveau à la chaise.

« Thibault, je… Je ne peux pas… »

« Si tu préfères rester libre, je comprendrai. »

« Mais ça n'a rien à voir, rien du tout, c'est que… »

Elle tapa du pied.

« Écoute, Ema. Si tu ne veux pas être reine, je renonce au trône. »

Elle recula, bouche bée. Il ajouta :

« Ce serait beaucoup plus facile que de renoncer à toi. »

Elle restait muette. Il avait des sueurs froides. Le premier roi de Pierre d'Angle avait renoncé au trône de Virage pour l'amour d'une bergère. Il l'avait appris des livres d'histoire, il l'avait toujours su. Mais maintenant, il comprenait. S'il avait à choisir entre sa couronne et sa passagère clandestine, il s'exilerait volontiers lui aussi sur un caillou inabordable de la mer du nord. Le sable s'écoulait dans le sablier sans qu'Ema ne desserre les mâchoires. Le cœur de Thibault accélérait, il allait lui sortir par la gorge.

« Dis quelque chose, Ema, je t'en supplie. N'importe quoi. »

« D'accord. »

« D'accord, quoi ? »

« Ne renonce à rien. Ni à moi ni au trône. »

Personne ne dormit par terre, cette nuit-là. La dernière étoile venait de s'éteindre lorsque le quart de veille vit Ema surgir du carré, la chemise froissée et les cheveux encore plus en désordre qu'à l'ordinaire. Ils se poussèrent du coude. Lysandre, qui était resté au grand air toute la nuit en cas de haut-le-cœur, se demanda ce qu'ils avaient à s'énerver ainsi. Les autres lui faisaient des clins d'œil qu'il ne comprenait pas.

CHAPITRE XI

Deux jours passèrent. Le ciel était clément, l'allure était bonne. Le temps de sommeil des hommes avait été réduit pour que la navigation de nuit vaille celle du jour. Malgré les efforts de l'amiral pour leur garantir suffisamment de repos, ils eurent du mal à s'adapter. Ils étaient émotifs, fatigués et nerveux. Ceux qui auraient dû dormir insistaient souvent pour aider. Dorec lui-même ne se couchait que d'épuisement. Il refaisait en personne tous les calculs du navigateur qu'avaient déjà revus son assistant, ou le gringalet, ou les deux. Il observait les étoiles de façon obsessive, il supervisait toutes les manœuvres, il lançait à tout moment des ordres exacts, succincts, parfaitement rythmés.

Entre minuit et quatre heures du matin, les heures les plus vulnérables du quart de veille, les membres de l'équipage se blessaient à qui mieux mieux. L'infirmier et le chirurgien s'alternaient pour ôter des échardes gigantesques, faire des points de suture et poser des éclisses.

Mais le chirurgien pria aussi l'amiral d'apaiser l'équipage : s'ils devaient tous passer les prochains jours en convalescence, on n'arriverait jamais à bon port.

Dès que Lysandre se reprit de son mal de mer, le prince le confia aux soins du gringalet. Ils s'entendirent tout de suite très bien. D'ailleurs, Georges mit à peine quelques minutes à remarquer que Lysandre ne savait pas faire de divisions ni compter au-delà de trois cents. Ils se trouvaient dans le carré, à refaire des calculs.

« Mais Lysandre, tous les enfants de ton âge savent diviser ! Est-ce que tu sais lire, au moins ? »

Lysandre hocha la tête, piteux. Il avait passé son enfance à se débrouiller pour nourrir et soigner son grand-père. Georges n'en revenait pas. Aucun enfant de Pierre d'Angle n'était jamais ainsi laissé à l'abandon. Il entreprit de lui expliquer le maniement des instruments de navigation, la façon de reporter sur une carte l'angle observé entre les étoiles et l'horizon. C'est ce que le navigateur avait fait pour lui au tout début de l'expédition, avec une infinie patience. Georges se mit à calculer à haute voix et à lire lentement, en suivant les lettres avec son index. Lysandre apprenait aussi vite qu'on boit un verre d'eau fraîche. Sa soif était telle qu'on le trouva, le lendemain, accroupi devant une lampe-tempête, à tenter de déchiffrer le premier livre qui lui soit tombé sous la main, *Traité de chirurgie à bord d'un navire avec le strict nécessaire et dans des conditions néfastes.*

Les deux garçons devinrent inséparables. Chaque fois qu'on donnait une nouvelle tâche au gringalet, Lysandre le suivait sans rien dire et faisait de son mieux pour se rendre utile. Mais il n'était pas toujours facile de comprendre au vol les détails de la vie en mer. Il apprit à ses dépens que, sur un bateau, rien n'est aussi prévisible que sur la terre ferme.

Ce jour-là, Georges épluchait une montagne de pommes de terre. « Facile », pensa Lysandre. Il se trouva un tabouret et un couteau. Mais, même à la corvée de patates, le gringalet pouvait lui en remonter : il réussissait à les peler d'un seul coup, en une seule longue spirale d'épluchure. Ils se mirent à faire des concours et à mesurer leurs épluchures entre elles, jusqu'à ce que le cuisinier les rabroue, pour qu'ils « se grouillent à la fin ».

Les pommes de terre furent bouillies et le feu immédiatement éteint, parce que le navire commençait à tanguer. C'est au moment de les égoutter que Lysandre commit une grave erreur. Au lieu de prendre la longue louche que lui tendait Georges, il s'approcha dangereusement de la casserole. « Nom de... » jura le cuisinier, mais il était trop tard : l'eau bouillante s'était mise à tanguer elle aussi. Elle lui éclaboussa la poitrine.

Le cuisinier l'aspergea d'eau de mer, lui arrachant un cri de douleur.

« Salée, eh oui, et quoi encore ! Pas de pleurnichage ! Au moins elle est froide. Je ne vais quand même pas gaspiller mon eau potable pour te laver les fesses ! Non, mais. Gringalet, va chercher l'infirmier. »

Ema était de garde et c'est elle que trouva Georges. Elle se dépêcha de défaire la chemise de Lysandre avant qu'elle ne lui colle au corps. En le déshabillant, elle s'aperçut de sa maigreur épouvantable. Sa peau se détachait en grands lambeaux et, en dessous, il n'avait que les os. Décidé à ne pas se plaindre, il serrait les poings de toutes ses forces.

« Un œuf », fit Ema au cuisinier, en tendant la main.

« Un quoi ? » s'indigna le cuisinier.

« Un œuf, répéta Ema, j'ai besoin d'un œuf. »

« Et quoi, encore ? On va lui faire une omelette ? Qu'on ne vienne pas me dire que c'est mérité, oh non, non, non. Mes patates sont trop cuites, maintenant, de la vraie purée, ce soir, vous allez tous finir en purée ! »

Pendant que le cuisinier rouspétait, le gringalet alla chercher un œuf. Depuis les vers, il n'avait confiance qu'en la personne d'Ema. Il se disait toujours : « Si je me blesse, pourvu que ce soit pendant le quart d'Ema. »

Par contre, il comprit mieux les réticences du cuisinier lorsqu'il vit l'état des réserves : il ne restait que deux œufs. « Si vous croyez que j'ai des poules à bord pour vos soufflés au gratin, enchaînait justement le cuisinier, eh bien ! Vous vous trompez ! Ah ça, oui ! Vous vous trompez ! »

« Merci, Georges, dit Ema. Tu veux bien le casser ? Garde le blanc, seulement le blanc. »

« Seulement le blanc ?! tempêta le cuisinier. Mais qu'est-ce qu'il faut entendre ! On garde tout, Ema, on garde tout ! Les toiles d'araignée sur les biscuits, les cailloux dans les pois chiches, les queues de pomme, les yeux des poissons, on garde tout, on mange tout… »

« Bon, ça va, du calme, l'interrompit Ema. Mets-le où tu veux ton jaune d'œuf. Georges, bats le blanc, s'il te plaît. »

Le cuisinier lui tourna le dos pour aller repêcher ses patates ramollies au fond de la casserole.

« Une meringue, maintenant, elle lui fait une meringue… » marmonnait-il pour lui-même.

Ema badigeonna la poitrine de Lysandre. Une fois séché, le blanc d'œuf avait déjà l'air d'une nouvelle peau. Elle le conduisit jusqu'à l'infirmerie. Le gringalet suivit son copain, abandonnant le cuisinier à sa mauvaise humeur.

Derrière le rideau, ce soir-là, l'infirmier et le chirurgien se penchèrent sur Lysandre endormi. Ils parlaient à voix basse.

« Je me demande si c'est encore un truc de champ de bataille… » réfléchissait Lucas.

« De fond de cuisine, plutôt… Un œuf ? Tu en es sûr, Lucas ? Un œuf ? »

« Un œuf, oui. Et, je dois bien le dire, ça m'a tout l'air de fonctionner. »

« Un peu tôt pour se prononcer… »

« Regarde, la peau ne se défait pas du tout. Pas d'ampoules, pas de liquide, presque pas de rougeurs… »

« Hmm. Tout de même. Un œuf! Recette d'indigène. »

« Un *blanc* d'œuf. »

« Du pareil au même. Médecine tribale. »

« Oh, Louis. Tu me fais honte. »

Le ton montait.

« Et toi, Lucas, prends garde. Je suis ton supérieur. »

« Et alors? Tu as trop besoin de moi pour me renvoyer. »

« C'est à voir. »

« On verra, on verra. Avoue quand même qu'il n'a pas l'air de trop souffrir. »

« Ah ça, c'est sûr. Il est plus costaud qu'on ne l'aurait cru. »

Lucas s'énerva.

« Louis, enfin ! On parle d'une casserole d'eau bouillante, pas d'une goutte de cire fondue ! Il devrait être en train de se rouler par terre en hurlant comme un possédé. Moi je dis qu'on devrait toujours avoir des œufs à portée de la main. »

« Il est trop tôt pour en tirer des conclusions. Si on procède de façon empirique… »

Lucas leva les yeux au ciel. Il allait répondre, quand Lysandre marmonna : « Vous m'empêchez de dormir. »

Ce qui mit fin à la conversation.

Le fait est que Lysandre se remit extrêmement vite de sa brûlure. Sa peau était à peine marquée. La polémique du blanc d'œuf ne fut plus discutée.

Malgré sa guérison foudroyante, le garçon fut mis au repos. Il déambulait sur les ponts, examinait les cales, suivait les calculs de Georges par-dessus son épaule, s'installait dans un coin pour poursuivre sa lecture du manuel de chirurgie. Il prenait bien garde à ne déranger personne. De temps en temps, il se postait devant la porte ouverte du carré et détaillait, sans oser les toucher, le sextant, la boussole, le compas disposés sur la table. Il s'intéressa beaucoup à l'horloge solaire portable que lui avait prêtée le navigateur. Un bel objet, elle était faite de deux disques de cuivre entrelacés qu'on pouvait replier pour les insérer dans une pochette de cuir travaillé. Il la promenait d'un bord à l'autre de l'*Isabelle*, pour voir si l'heure de la dunette était pareille à celle de la proue. L'heure restait toujours la même et il s'ennuyait. Thibault finit par lui demander s'il voulait voir des cartes maritimes.

Lysandre, honoré, suivit le prince dans le carré. Thibault le fit asseoir sur sa propre chaise d'ébène. Lysandre tâcha d'abord de s'y tenir bien droit. Il glissait ses doigts sur le relief sculpté, sans oser toucher les morceaux de nacre. Thibault lui montra son routier préféré en lui racontant des bouts de leur expédition. Lysandre se détendit et se mit à poser mille questions sur les courants, les marées, les vents et les étoiles. Thibault répondit patiemment. Il se souvenait d'un temps pas si lointain où il bombardait lui-même Clément de Frenelles sans le laisser reprendre son souffle. Il profita cependant d'une seconde de pause pour demander à son tour :

« Est-ce que ton grand-père te manque, Lysandre ? »

« Non, sire… »

« Vraiment ? Non ? »

« Oui. Terriblement, sire. »

« Je te comprends. Mon père me manque aussi. Ma seule consolation, c'est qu'il a retrouvé ma mère, où qu'elle soit… »

« Oh, mais ma grand-mère n'avait jamais quitté mon grand-père, sire. »

« Ah bon ? Je croyais qu'elle était morte il y a longtemps ? »

« Morte, oui, sire, mais pas tout à fait partie. »

« Qu'est-ce que tu veux dire ? »

« Ils se parlaient tous les jours, sire. Ils se voyaient et se parlaient tous les jours. »

« Ah oui ? Pourtant ça me semble impossible. »

Lysandre prit un air sincèrement étonné.

« Sire… je croyais que vous aviez remarqué… enfin… vu, ou compris. »

« Mais de quoi tu parles, Lysandre ? »

« Mon grand-père et vous, ma grand-mère et Ema… la chose que vous avez en commun, sire. »

« Quoi donc ? Je ne comprends pas. »

« Mais… sire, pourquoi vous croyez que je vous ai arrêté sur la rue ? »

« Justement, c'était ma prochaine question. »

Lysandre haussa les sourcils. Il ne savait pas par où commencer.

« Eh bien… Mon grand-père disait qu'il ne mourrait pas sans savoir qui venait à sa suite. Il souffrait atrocement, vous savez, sire, toutes les parties de son corps lui faisaient mal. Il n'y avait plus rien de vivant en lui, sauf le besoin de savoir qui venait à sa suite. »

« À sa suite ? »

« J'ai vu que vous veniez à sa suite, sire. »

« Qu'est-ce que tu as vu, au juste, Lysandre ? Pourquoi tu nous dévisageais comme ça, dans la rue ? »

« Mais ce n'est pas vous que je regardais, sire. C'était la chose qui habite entre vous. »

L'air perplexe de Thibault médusait Lysandre.

« Sire… Ne me dites pas que vous ignorez de quoi je parle ? »

« Absolument, Lysandre. Désolé. Je ne vois pas de quoi tu parles. »

« Je parle de l'éternité, sire. »

« La quoi ? »

« L'éternité, sire. »

« L'éternité ? »

« Elle est visible, sire, chaque fois que vous êtes proche d'Ema. Elle est claire et transparente, comme le cristal. »

Thibault se sentit chavirer. L'étrange phénomène qui l'avait saisi lors de l'escale à Khyriol et lors de la rencontre avec le vaisseau fantôme lui revenait en force. Les objets faits de lumière, le bonheur intense, presque douloureux, qui en irradiait. Un choc parcourut tout son corps. Il balbutia :

« Et… qu'est-ce que ça signifie, au juste ? Lysandre ? »

« Rien ne peut vous séparer, sire. »

« Même pas l'amiral ? »

« Non, sire. Ni la vie, ni la mort, ni l'amiral. »

Thibault se taisait. D'une certaine façon, Lysandre lui expliquait ce qui l'avait tant troublé depuis l'embarquement d'Ema, la raison pour laquelle il avait passé tant de longues heures enfermé dans sa cabine. Le garçon reprit :

« Quand ma grand-mère est morte, sire, l'éternité a fait le pont entre elle et mon grand-père. Comme une troisième personne, qui tenait leur main à chacun. À moitié ici-bas, à moitié au-delà. »

« C'est extraordinaire… »

« Mon grand-père dit que tous les êtres humains ont une racine d'éternité, mais qu'elle se cache dès leur naissance, pour qu'ils puissent vivre dans le temps. Mais comme l'éternité ne veut pas qu'on l'oublie, enfin pas tout à fait, elle s'assure d'être visible quelque part au monde.

Mon grand-père savait qu'au moment de sa mort, elle trouverait un autre chemin et il voulait savoir lequel. »

« Et pourquoi nous? Pourquoi moi, pourquoi Ema? »

« Il paraît que nous manifestons tous quelque chose, sire. Mais il y a des manifestations plus rares, parce qu'elles sont plus pures. Plus *distillées*, disait mon grand-père. Je ne réponds pas vraiment à votre question, par contre, n'est-ce pas? Pourquoi vous? Je n'en sais vraiment rien. »

« Et qu'est-ce que je dois faire, Lysandre? Est-ce que je dois faire quelque chose? »

« Tout ce que l'éternité demande, sire, c'est que vous soyez ensemble avec Ema. »

« Ensemble avec Ema », répéta Thibault, comme si Lysandre venait de lui fournir un mantra.

« J'imagine que ce serait plus facile si vous vous décidiez à l'épouser, sire. »

Thibault considéra le garçon maigre aux grands yeux noirs et brillants, aux cheveux raides comme de la paille, l'air sérieux et presque adulte, les mains croisées sur le routier. Il émanait de lui une sorte de résilience intouchable.

« Lysandre? » fit soudain Thibault.

« Oui, sire? »

« On m'a dit que tu viens d'apprendre à lire en vingt-quatre heures. »

« Ce n'est pas bien compliqué, sire. C'est juste que personne n'avait pris la peine, avant Georges. Mon grand-père, il ne savait pas lire non plus. »

« J'ai pensé à un professeur pour toi. Un peu dur d'oreille, mais bon. Excellent. »

« Oh... »

« Un conseil, par contre. Ne te fais pas pincer par lui à grimper dans les arbres fruitiers. »

« D'accord, sire. »

« Alors, c'est entendu ? Il y a une chambre, pour toi, au château. Elle a un plafond bleu où est peinte la constellation d'Azalée, une fenêtre qui s'ouvre sur le port, comme ça, si tu as le rhume, tu ne t'ennuieras pas trop, et une gouttière couverte de vigne rouge qui permet de descendre jusqu'au jardin sans être vu des valets. »

Lysandre écarquillait ses grands yeux, incrédule.

« Tu es encore triste, n'est-ce pas ? »

« Oui, sire. »

« Le temps va passer, Lysandre. Le temps passe toujours. »

***

Il n'échappait à l'attention de personne qu'Ema avait cessé de dormir dans son panier de cordage ni qu'elle avait laissé son hamac à Lysandre. De l'entrepont, on entendait souvent, la nuit, des éclats de rire provenir de la cabine du prince. On se passait de commentaires. L'amiral lui-même se taisait sur le sujet. Albéric disparu, plus rien ne l'autorisait à faire office de chaperon. Mais les rires parvenaient aussi à sa cabine et la vérité, c'est qu'il rêvait de donner une bonne fessée au prince.

Il en eut l'occasion le matin du sixième jour, alors qu'il lui faisait son rapport de routine. Il était particulièrement de mauvaise humeur, parce que, malgré tous les efforts fournis, le navire avait à peine quelques heures d'avance sur un voyage normal.

« Nous dépendons totalement de notre approche de l'île, sire, conclut-il, découragé. Plus nous frôlerons la Catastrophe, plus le trajet sera écourté. »

« Vous faites votre possible, amiral. Tout le monde à bord fait son possible. Il s'agit de tenir bon. »

« Nous tiendrons bon, sire. »

« Je n'en doute pas. »

« Merci, sire. »

« Il y a autre chose dont j'aimerais vous parler, amiral. »

« Quoi donc, sire ? »

« Vous vous souvenez sans doute d'un soir, assez récent, où je vous ai mis devant un fait accompli ? »

L'amiral pinça les lèvres et croisa les bras.

« Je me souviens en effet, sire. Un souvenir fort désagréable, d'ailleurs. »

« Nous avions convenu, ce soir-là, qu'il faudrait tôt ou tard accomplir le fait. »

« Vous en aviez convenu avec vous-même, sire, c'est tout ce dont je me souviens. »

« Avouez que c'était un bon début. »

« Et je parie que vous n'avez même pas pris la peine de demander à la… comment dire ? À l'heureuse élue ce qu'elle en pensait ? »

« Mais Dorec, pour qui me prenez-vous ? Malaquias Del Puente Saez ? »

« Bien sûr que non, sire, c'est qu'une telle alliance, enfin… »

« Procédons maintenant. Ce soir. »

« Ce soir ? *Des fiançailles en haute mer* ? Prince ? Sur un navire qui fuit de partout, avec un équipage épuisé et en pleine course contre le temps ? »

« Non, non, rassurez-vous, amiral. Qui vous parle de fiançailles en haute mer ? »

« Alors j'avoue que je ne comprends pas, sire. »

« Je parle d'un mariage, amiral. Un mariage en haute mer. »

« Mais… mais… mon prince… »

« J'apprécie votre soutien, amiral. D'autant plus que vous êtes le seul mandataire du roi à bord. C'est vous qui devrez officier. »

L'amiral, abasourdi, tenta une attaque périphérique.

« Vous êtes né impulsif et vous ne vous êtes pas encore corrigé. À votre âge, sire ! »

« J'étais prématuré, Dorec, vous m'en voulez pour ça ? Ou pour avoir survécu contre toute attente ? »

« Ni l'un ni l'autre, sire. Je vous en veux de continuer à tout *prématurer* autour de vous. »

« Cette affaire marine depuis des mois, amiral. Vous l'aviez vous-même remarqué. S'il y a à en dire quoi que ce soit, c'est qu'elle est mature et viable. »

L'amiral regarda un moment le plafond, rassemblant son courage pour dire au prince le fond de sa pensée. Il ne parvint qu'à émettre un son étouffé.

« Vous dites, amiral ? » fit Thibault.

Dorec explosa.

« Je dis que vous vous conduisez comme un idiot. Je dis que ce mariage ne vous causera que des ennuis, des regrets et d'interminables ragots de commères. Je dis que cette femme si visiblement différente du peuple de Pierre d'Angle et de si douteuse origine ne sera jamais reçue comme reine légitime. Je dis qu'un mariage en pleine mer n'a rien de légal. Je dis qu'il vous faut des témoins issus de la cour et des dignitaires en suffisance. Je dis qu'il s'agit d'un geste capricieux et irréfléchi. Sire. »

Thibault tapota la table du bout des doigts.

« Vous êtes raciste, tout à coup, Dorec ? »

« Mais absolument pas, sire ! »

« Vous vous souciez des potins de village ? »

« Mais non, mais non, sire. »

« Vous vous languissez d'un banquet, d'une réception mondaine ? »

« Ah non, pour ça non, sire ! »

« Vous connaissez une clause que j'ignore sur le lien matrimonial ? Ou sur la liberté des parties consentantes ? »

« Euh… non, je ne crois pas, sire. »

« Alors taisez-vous. »

L'amiral se tut si fort que ses lèvres en étaient blanches.

« Vous pouvez vous retirer. »

***

Thibault fit savoir que le mariage aurait lieu à l'heure du repas du soir.

L'amiral, pris de doutes atroces, passa l'après-midi sur la dunette, perdu dans ses pensées. Il s'apprêtait à trahir le serment fait à Albéric de tenir le prince « dans les limites du raisonnable ». Le roi à peine décédé, il allait officier à un mariage qui n'avait jamais reçu sa bénédiction. La crise de conscience d'Albert Dorec était si profonde qu'il en vint à supplier l'esprit du roi de lui porter conseil.

« Albéric, montrez-moi le chemin… Ô, Albéric… » murmurait-il avec ferveur.

Marcel, qui passait par là, le surprit les mains jointes, les yeux fixés sur l'horizon, et s'éloigna bien vite.

Un albatros vint tout à coup se poser à l'ombre de la voile d'artimon. Agacé, l'amiral le chassa d'un geste, mais l'oiseau gigantesque ne bougeait pas. Il restait, majestueux, à regarder l'horizon. L'amiral comprit soudain : *Alb*éric, *alb*atros. Ce ne pouvait être une simple coïncidence. L'âme du roi avait bel et bien trouvé moyen de se manifester. Éperdu de gratitude, il s'adressa à l'oiseau :

« Dites-moi que j'ai raison, mon roi, dites-moi que j'ai raison de vouloir empêcher ce mariage. »

Sur l'escalier de la dunette, deux hommes s'arrêtèrent, interdits, et d'autres les rejoignirent. À le voir ainsi parler à l'albatros, ils s'inquiétaient pour l'amiral. La mort de son roi bien-aimé avait fait blanchir d'un coup les trois cheveux qui lui restaient. La tension des derniers jours, ce voyage impossible, la fatigue et ce crâne chauve en plein soleil : peut-être fallait-il appeler Lucas.

L'oiseau baissa soudainement son bec vers l'amiral. Il lui picora vigoureusement la chemise. Puis il s'envola en laissant sur le sol une fiente monumentale.

Pour l'amiral, ce fut un foudroyant changement de cap. Une véritable révélation. Ses doutes s'étaient envolés avec l'albatros. En réponse à son tourment, l'oiseau avait laissé un signe limpide. L'amiral observa longuement la crotte comme s'il s'agissait d'une sainte relique. C'est donc ce que le bon roi Albéric pensait de ses doutes. Libéré, Dorec respira l'air du large avec des poumons neufs. Il se sentait soudain comblé par l'honneur d'officier au mariage.

Le cuisinier, pendant ce temps, suait à grosses gouttes au-dessus du feu. Son assistant ne suffisait pas à la tâche, et il finit par exiger le secours de Marcel et de Georges. Ce banquet de dernière minute le mettait dans l'embarras. Il avait ordonné une pêche continue, mais les heures de l'après-midi étaient peu fructueuses sans les vomissures de Lysandre. Le manque de poisson l'irritait terriblement. Pour compenser, il fit éplucher cinq rations de patates supplémentaires. Il prit soin de faire cuire ses fèves suffisamment et y ajouta tout le lard qu'il lui restait. Il parvint même à cuire sous les braises une sorte de gâteau, plutôt plat, que Georges baptisa « la galette nuptiale ».

Depuis le soir de la première escale, lorsqu'ils avaient vu Thibault soutenir Ema en proie au mal de terre, les hommes avaient pressenti la suite des événements. D'une certaine façon, ils étaient soulagés que l'évidence sorte enfin au grand jour. Ils se coupèrent les ongles et se lavèrent les pieds. Ils disposaient chacun d'un peigne à pou dont ils oubliaient trop souvent l'existence. Ce jour-là, ils l'utilisèrent avec application, au point d'en user le bois. Ils firent même la file pour accéder à la trousse de manucure de Félix, entièrement composée d'objets d'ivoire et qui lui avait coûté l'équivalent de six mois de salaire.

Ils firent un arrangement de cordes comme centre de table. Ovide, fidèle à sa maxime selon laquelle « un bon nœud est un beau nœud », se lança corps et âme dans les pommes de touline et dans la garniture d'œil. Il jouissait de pouvoir enfin se consacrer à l'esthétique de la chose sans risquer qu'un homme ne se blesse ou qu'un tonneau ne s'éventre.

« Oh là là, le macramé! se moqua Roland. Laisse un peu de filin pour le gréement… »

« Viens plutôt m'aider, toi », s'interposa Félix, qui s'était mis à découper des cœurs dans de la vieille jute pour faire une guirlande. Roland y ajouta des trèfles, des carreaux et des piques.

Comme personne n'avait de tenue de soirée, Ema et Thibault gardèrent aussi leurs vêtements de bord. Seul l'amiral endossa son uniforme officiel. La cérémonie eut lieu sur le pont principal, au coucher du soleil. Guillaume servit de témoin à Thibault, et Jules à Ema. Dorec fut impeccable, tout bien considéré. Il remplit ses fonctions comme il le pouvait, fabriquant de mémoire les formules d'usage.

Les fiancés n'avaient pas d'anneaux à s'échanger. Thibault offrit à Ema le pendentif que le roi Fénélon venait de lui rendre. Il était fait d'argent si finement ciselé qu'on aurait dit de la dentelle. Ema l'échangea contre l'objet le plus précieux qu'elle possédait – le seul, à vrai dire – son médaillon.

L'émotion était palpable, le crépuscule absolument glorieux. Plus d'un marin dut se moucher dans sa manche.

Le repas fut aussi joyeux qu'il était frugal. On complimenta le cuisinier pour sa galette nuptiale, et chacun mâcha longuement la bouchée qui lui revenait. Après quoi, Thibault mit à disposition le fameux whisky de Clément de Frenelles. Il se réjouissait à l'idée que son précepteur soit présent au mariage, ne serait-ce que sous forme liquide. La bouteille, qui n'avait encore servi que pour anesthésie, était encore pleine aux deux tiers. Lysandre, la gorge en feu, cracha sa gorgée sur Ovide, qui l'engueula pour le gaspillage.

Guillaume, d'esprit secrètement romantique, demanda si Lucas voudrait bien leur jouer un petit air de guitare. L'infirmier hésitait à jouer en présence du géologue et du buandier, de peur qu'ils ne se mettent à chanter. Mais Félix et Ovide remontaient déjà leurs manches, prêts à les neutraliser au besoin. Les notes joyeuses remplirent l'entrepont, créant une bulle étrange de bonheur parfait au milieu de tant de fatigue et d'incertitude.

Une fois la bouteille vide et la guitare au repos, les marins réclamèrent un baiser en frappant sur la table. À peine le prince se pencha-t-il sur la princesse qu'ils les soulevèrent, se les passèrent par les écoutilles et les portèrent tant bien que mal jusqu'au carré dont ils claquèrent la porte.

Cette nuit-là fut une nuit de rafales impromptues et de lames glaciales. On hissa le tourmentin. Des paquets d'eau s'écrasaient sur le pont principal. Le ressac traitait l'*Isabelle* comme une coque de noix, ses passagers comme des poussières inessentielles.

Pourtant, à Pierre d'Angle, chaque homme avait quelqu'un qui l'attendait. Quelqu'un qui, bientôt, allait aussi le serrer dans ses bras.

Chapitre XII

Le lendemain de la noce, il fut de nouveau difficile pour Ema de se mêler aux marins. Ils se levaient à son arrivée, la vouvoyaient, trébuchaient dans leurs bottes pour lui céder le passage. Même à l'infirmerie, ils étaient impossibles. Le premier d'entre eux, un chef de hune, s'amena dès le matin avec une plaie à la hauteur des reins.

« Voyons voir », fit Ema.

« Euh… c'est-à-dire que… »

« Eh bien ? Lève ta chemise. »

« C'est que… Votre Altesse… je n'ose pas… »

« Mais laisse tomber l'altesse, à la fin, et lève plutôt cette chemise ! »

« C'est que devant la… prin…, la… l'épouse du prince… »

Au premier changement de quart, Ema confia à Thibault qu'elle n'en pouvait déjà plus de ces bêtises, qu'elle ne s'y habituerait jamais.

« Tu n'as qu'à changer les règles », répondit-il comme si c'était l'évidence même.

« Changer les règles ? » s'étonna Ema. Un vaste horizon s'ouvrait brusquement devant elle qui avait passé sa vie à fuir des règles oppressantes. Elle en eut presque le mal de mer.

« La princesse décide », l'assura Thibault.

« La princesse décide... » répéta-t-elle pour se convaincre.

À table, le soir même, elle déclara à l'équipage que les formules d'usage à son endroit ne s'appliqueraient pas à bord de l'*Isabelle*. Et qu'ensuite, on verrait.

« Vaut mieux que tu ressortes les pinces, alors, Ema », conseilla amicalement Lucas.

Thibault se félicita une fois de plus pour sa bonne étoile. De toutes les femmes qu'il connaissait, Ema était bien la seule à se passer aussi volontiers de privilèges. Pour cette raison, et pour d'autres encore, elle ferait une reine exceptionnelle. S'ils arrivaient à temps.

« Au moussaillon », fit-il, en levant son verre d'eau de pluie.

***

Malgré son bonheur, une chose tenaillait secrètement Thibault. Il se demandait s'il était juste d'avoir fait d'Ema une princesse sans lui avoir dévoilé la face cachée de son royaume. Il y avait en effet, sur l'île, une chose qui terrorisait tout le monde, du plus simple berger au monarque lui-même. La paix de Pierre d'Angle avait un prix. Un prix élevé.

Il s'agissait d'une forêt. Une forêt impénétrable que, depuis le tout premier roi, on appelait *la Catastrophe*. Autrefois le lieu d'un drame indicible, elle poussait depuis dans le plus parfait désordre. On la voyait cerclée d'un mur de ronces et de branches mêlées, dense et sauvage, luxuriante, magnifique, couverte de poussière grise, comme si le ciel l'arrosait de cendres ou d'os broyés.

Les environs de la Catastrophe restaient sans villages ni demeures, à une exception près : une chaumière, en bordure de la forêt. C'était la chaumière du Passeur, un individu sans âge et sans visage, peut-être même sans nom. Il avait toujours vécu là, silencieux, solitaire, vêtu d'une sorte de bure traînante, au capuchon relevé.

Une seule fois par règne, le Passeur jouait un rôle abominable dans la vie du royaume. C'était toujours un soir d'équinoxe d'automne. Une voix s'élevait, rien qu'un murmure d'abord, puis une sorte d'incantation soutenue, rauque, inquiétante. Elle faisait ployer les arbres et arrachait les tuiles des toits. Les chevaux piaffaient dans les écuries, les poules pondaient des œufs noirs.

La Catastrophe réclamait qu'on lui donne la première fille née en mai.

Le sang des nouveaux parents se glaçait. Au château, le souverain tombait à genoux. Il lui fallait accomplir la tâche la plus dure de son règne. Monté sur un étalon blanc, il emportait la petite sur la grande route, passé la croix des Quatre-Chemins, jusqu'à la chaumière, à l'orée de la forêt. Il descendait de monture et la déposait dans les mains noires du Passeur. On ne la revoyait jamais.

Une seule reine, Éléonore, avait autrefois tenté d'ignorer la voix de la Catastrophe. Pendant des semaines, l'incantation avait assourdi le peuple, la tempête avait gâché les vendanges, la mer avait brisé le port de l'Anse-aux-Moutons et fait voler en éclats une partie de la côte. Le calme n'était revenu qu'avec le sacrifice du bébé. C'était le prix à payer pour la paix du royaume.

Thibault n'avait rien raconté de tout cela à Ema. Il ne lui avait rien dit non plus des tensions qui régnaient à la cour. Il lui avait promis un royaume heureux : il trouverait un moyen de le lui donner. Radieuse dans ses vêtements de garçon, des cristaux de sel marin brillant comme des diamants dans ses cheveux, elle se tourna justement vers lui et lui décocha son fameux sourire blanc. Décidément, il valait mieux se taire. Renvoyer les inquiétudes là d'où elles étaient venues, les refouler le plus loin possible.

C'est une conversation entendue par hasard qui mit tout de même Ema sur ses gardes. Elle se dirigeait vers l'infirmerie et, comme le rideau était tiré, elle crut qu'il y avait un patient et décida d'attendre. La cloche du changement de quart venait de sonner et Louis arrivait tout juste pour remplacer Lucas. Il était grognon; cette traversée exténuante lui amenait un gabier disloqué après l'autre. Il tira le rideau pour se donner cinq minutes de répit avant même de commencer.

« Si tu flanches, Louis, laisse Ema se débrouiller toute seule, elle s'en vient t'aider d'une minute à l'autre », disait Lucas, qui ne voyait pas l'absence du chirurgien comme une perte significative.

« La *princesse*? Toute seule? Non. »

« Elle ne veut pas qu'on l'appelle ainsi. »

« Pour l'instant, pour l'instant. Qui sait le sort que la cour va lui jeter. Je te parie que, dans un an, on ne la reconnaîtra plus. »

« Bof. Pas sûr. Elle m'a l'air d'avoir son quant-à-soi. »

« Quant-à-soi tant que tu veux, je me demande comment ils vont la prendre. »

« Qui ça? »

« Eh ben, la Sidra, le Jacquard. Sans parler du molosse. Ah, le molosse! »

« Mais tu n'en sais rien, tu ne les connais même pas. »

« J'ai vu la reine, une fois. De loin. »

« Alors? »

« Ça m'a donné des frissons dans le dos. »

« Pourquoi ? »

« Mais qu'est-ce que j'en sais ? Des frissons, c'est tout. Et puis on en parle assez pour que je sache qu'ils sont aussi mauvais l'un que l'autre. Surtout le Jacquard. »

« Ema s'est mariée au Thibault, pas à son frère. »

« Elle s'est mariée à la famille royale, ce qui revient à tomber dans la gueule du loup. À ce qu'on dit, Albéric, il les tenait bien en laisse tous les deux. Bien à l'écart et tout ça. Mais Albéric, maintenant, il n'y peut plus rien. Je te parie que le Jacquard en profite pour lancer son chien aux mollets des filles de ferme. Ça s'est déjà vu. »

« Ça s'est déjà vu, mais moi je fais confiance au Thibault. »

« S'il arrive à temps. »

« Il arrivera à temps. »

« Encore à voir. »

« L'optimisme t'étouffe, ce soir, Louis. Tu vas l'ouvrir ou non, ce rideau ? »

« Mouais. »

Et Louis tira d'un coup le rideau sur Ema, qui n'avait rien perdu de leurs propos. Elle redressa la nuque et se composa en vitesse un air anodin. Mais son trouble n'échappa pas à Lucas. Il bourra les côtes du chirurgien d'un coup de coude bien appuyé avant d'aller déplier son hamac.

***

Le huitième jour, alors qu'ils s'apprêtaient à entrer dans les eaux territoriales de Pierre d'Angle, ils croisèrent de loin une frégate au drapeau en berne. Avec la lunette d'approche, Thibault reconnut le navire-messager. Selon la tradition, à la suite de la mort d'un monarque, toutes les activités portuaires étaient suspendues jusqu'à ce que la frégate chargée de la triste nouvelle ait quitté l'Anse-aux-Moutons. C'est d'ailleurs pourquoi ils n'avaient jusqu'ici rencontré aucun navire sur la route de Virage, pourtant si fréquentée.

Par contre, ils s'étaient attendus à croiser la frégate beaucoup plus tôt, au moins à mi-chemin. S'ils la voyaient si tard, c'est qu'elle n'avait appareillé que neuf jours après le goéland de Fénélon. Pourquoi cette attente ? Thibault échangea un regard consterné avec l'amiral et lui passa la lunette. Jamais Pierre d'Angle n'avait aussi peu honoré un monarque, ni ainsi tardé à avertir son successeur. Les soupçons de Fénélon étaient donc bien fondés. L'amiral fronçait tellement les sourcils que tout son crâne s'en trouvait plissé. Thibault le planta là pour aller mettre de lui-même le drapeau en berne.

***

Le neuvième jour, en début d'après-midi, tomba de la vigie le cri tant attendu : « Terre en vue ! Terre en vue ! »

La terre n'était qu'une ligne plate visible de la cime du grand mât. Du pont avant, il n'y avait encore que de l'eau. Et pourtant, elle était là : Pierre d'Angle. Finalement.

Les marins sautaient de joie, s'embrassaient, se criaient des injures en riant, se traitaient d'imbéciles, de bêtes puantes et de vieilles godasses. Le ciel était bleu, un vrai beau ciel d'été. Au centre de l'île, à cette heure, l'air serait immobile, mais, au large, la brise fraîchissait. L'amiral se posta à la barre et attendit le plus longtemps possible. Contrairement à l'équipage, il avait l'air sombre. Il allait devoir s'entretenir avec le prince, tôt ou tard, et obtenir sa permission pour une manœuvre qui le répugnait.

Pierre d'Angle n'avait qu'une seule et unique voie d'accès : l'Anse-aux-Moutons, un estuaire étroit et tortueux, du côté est. Pour le reste, l'île n'était qu'un bloc rocheux hissé au-dessus des flots agités. Sa difficulté d'accès la protégeait aussi bien qu'une forteresse, mais limitait beaucoup son activité portuaire. Le trafic naval se trouvait encore compliqué par les eaux particulièrement traîtresses du sud-est, au sortir de l'estuaire.

Cette partie de la côte, on l'avait baptisée « le cimetière marin ». Les navires de Pierre d'Angle ne s'y risquaient jamais. Seuls quelques rares navires étrangers, par imprudence ou ignorance, prenaient encore cette route funeste. On ne les revoyait plus. Le fond marin était hérissé de colonnes de pierres qui affleuraient par endroits et qui pouvaient déchirer la coque aussi facilement qu'une guenille. La légende disait qu'il s'agissait d'une cathédrale antique et qu'on y entendait encore, par moments, le chant des fidèles.

Ce qui terrorisait le plus les marins, le long de cette côte, c'était la baie de la Catastrophe. On ignorait ce qui s'y passait, mais on imaginait le pire : dragon de mer, sables mouvants, tourbillon. Tout ce qu'on en savait venait de navires naufragés rendus à la mer morceau par morceau, des mois plus tard. Les pêcheurs trouvaient des débris flottants, des planches pourries, des bouées déchiquetées ; parfois un pied ou un bras. On avait un jour découvert une tête qui flottait à la dérive. Le visage, à demi décomposé, était marqué par une telle épouvante que ceux qui la virent en eurent des cauchemars le reste de leur vie.

La seule route sûre nécessitait une vingtaine d'heures en plus par bon vent. Elle exigeait qu'on fasse le tour de l'île en remontant par l'ouest, en longeant la côte nord, puis en redescendant du côté est jusqu'au phare sans lequel on aurait passé l'estuaire sans même en soupçonner l'existence.

L'amiral contemplait la forme si familière de l'île qui se découpait graduellement devant lui : les collines mauves, les falaises abruptes, les pointes rocheuses. Il leur restait à peine six heures avant que la couronne n'échappe à Thibault. Il allait devoir donner l'ordre de virer à tribord ; il allait devoir éviter le détour sécuritaire et couper tout de suite par l'est. C'était la seule façon d'arriver à temps.

Juste comme il se décidait enfin à chercher le prince, il le vit s'acheminer vers lui à grandes enjambées. Il allait parler quand Thibault lui arracha les mots de la bouche.

« Vous pensez longer la baie de la Catastrophe, n'est-ce pas, amiral ? »

Dorec soupira profondément, mi-soulagé, mi-angoissé.

« Hélas oui, sire. »

« J'y ai songé aussi. J'y songeais déjà dans le port de Virage, pour tout dire. »

« C'est la seule solution, mon prince. Par la route de l'ouest, nous n'arriverons jamais à temps. Mais si nous remontons par l'est jusqu'à l'Anse-aux-Moutons, nous y serons avant minuit. »

« Je sais. »

« Vous faites une tête d'enterrement, sire. »

« Vous savez bien pourquoi, Dorec. »

« Personne n'est jamais sorti vivant de la baie de la Catastrophe, mon prince, j'en suis conscient. »

« Écoutez-moi, amiral. Je ne vais pas risquer la vie de plus de trente hommes pour les besoins de la couronne. »

« Mais, sire… Pensez au nombre de vies que nous risquons en laissant la couronne à… à… »

« Oui. »

« Faites-moi confiance, mon prince, je vous en supplie. Nous n'entrerons pas dans la baie de la Catastrophe. Nous la longerons, tout simplement, en nous tenant au large, le plus possible. » Puis, voyant l'air torturé de Thibault, il ajouta : « Je vous l'ai dit l'autre jour, sire, et je vous le répète. Les hommes préféreront risquer leur vie plutôt que de risquer votre règne. »

Thibault ferma les yeux. Seule l'image de Jacquard despote lui arracha son accord. Il approuva de la tête, en silence. L'amiral ne perdit pas une seconde. Il commanda qu'on vire à tribord.

« Tribord ? Il a dit tribord ? » s'étonna Roland, du haut d'un hauban.

« À tribord ! » répéta l'amiral.

« Il a dit tribord ? » vérifia encore Roland.

« Eh oui, ta gueule, le poussa Ovide. Tu préfères la route pépère de l'ouest, pas vrai ? Fais tes calculs, mon gars. Il nous reste six heures. On passe à l'est, sinon c'est foutu. »

« Tribord ! » cria l'amiral une troisième fois.

Il ne se sentait pas à l'aise avec ses propres ordres, aussi criait-il plus fort que d'habitude. Il avait beau se dire qu'il passerait loin de la côte et que l'*Isabelle* ne s'approcherait vraiment qu'à la hauteur de l'Anse-aux-Moutons ; il avait beau se dire qu'il entendait rester au large et que, sur une mer si calme, la soirée serait une vraie partie de plaisir ; il n'était pas à l'aise du tout.

L'*Isabelle* vogua pendant un bon moment, parallèle à la côte. Le suroît était bon, la voilure parfaitement réglée. Peu à peu, cependant, il devint difficile de garder le cap. Des courants sous-marins les drossaient subtilement. La tension se mit à monter à mesure qu'ils manœuvraient en vain pour tenir le large. André le timonier, à la barre, se faisait engueuler par les matelots eux-mêmes. Au bout d'une heure, les courants n'étaient plus subtils du tout : ils étaient irrépressibles. Du haut du grand mât, Georges finit par apercevoir des formes noires qui pointaient sous la surface de l'eau. Il cria aux écueils.

L'équipage se distribua sur les côtés du navire. Ils regardèrent défiler sous eux, impuissants, l'eau turquoise et profonde, parfaitement calme. De loin en loin, un rocher aussi fin qu'une aiguille affleurait en surface.

Ils s'étaient embardés jusque dans la cathédrale, magnifique, mortelle. La beauté qu'ils voyaient se dessiner sous eux n'avait d'égale que la terreur qu'ils éprouvaient. Plus d'un vint effleurer d'un doigt les cornes de la chèvre. Le géologue bredouilla :

« La caca, la caca… la ca… »

« La Catastrophe, l'interrompit sèchement l'amiral. Qu'on baisse les voiles ! »

« Mais pourquoi ? Si quelque chose peut nous tirer d'ici, c'est bien le vent », s'étonna Félix.

« Baissez les voiles ! » cria l'amiral, soudain rouge comme un coq.

Thibault accourait de l'autre bout du pont.

« Je prends le gouvernail », l'avertit l'amiral. À peine avait-il tourné le dos qu'un raclement sourd se fit entendre. Dorec sentit quelque chose se déchirer au fond de sa poitrine, comme si sa cage thoracique était la charpente de l'*Isabelle* qu'un pic rocheux venait de crever. Le navire s'immobilisa, et un silence épais, abominable, fondit sur eux. Pas le moindre clapotis contre la coque.

« Échouement, soupira l'amiral. Ça y est. Nous sommes harponnés par le fond. »

« Échouement ! s'écria le navigateur. Mais où sont les cartes ! Qu'on me montre les cartes ! Qui est en charge, ici ? »

« Il n'existe aucune cartographie des eaux de la Catastrophe, rétorqua calmement Thibault. Tu le sais mieux que quiconque. Il n'y a que des légendes, pas de cartes. Amiral, vos ordres ? »

« Il faut délester. Qu'on vide les ballasts. Immédiatement. »

Les ballasts contenaient les barriques d'eau douce et les tonneaux de vinaigre et d'huile à lampe, la cargaison la plus lourde. Si on réussissait à réduire le poids du navire, on pouvait peut-être relever suffisamment les œuvres vives pour se dégager de l'éperon rocheux. Par contre, les poids distribués dans les ballasts contribuaient beaucoup à l'équilibre du navire. En les vidant, on aurait une embarcation moins stable. Mais on n'avait pas le choix, et le second rassembla rapidement une équipe. C'est la mort dans l'âme qu'Ovide, le tonnelier, vit se défaire son travail acharné.

« Qu'on examine les cales et qu'on me fasse état des dommages. Tout de suite ! » commanda l'amiral.

Une autre équipe se précipita.

L'examen des cales confirma une fois de plus l'excellence de l'*Isabelle*. Il suffirait de quelques coups de pompe et de l'application d'un double pour contenir les dommages. La mauvaise nouvelle, par contre, c'était qu'une fois les ballasts vidés, le navire ne bougeait toujours pas.

« Nous sommes encore à marée basse », remarqua Guillaume Lebel.

« C'est juste, soupira l'amiral. Mais la mer est parfaitement étale… Nous allons perdre un temps précieux à attendre que le flux nous remette à flots. »

« Vous voyez une autre solution, amiral ? », demanda Thibault.

« Nous pourrions faire gîter le navire… » risqua Guillaume du bout des lèvres.

« Et risquer de déchirer la coque, oui », coupa Dorec, outré.

« Pas d'autre solution, donc », fit Thibault.

« Non, aucune, sire », admit Guillaume.

« Eh bien, attendons », conclut le prince.

Ils attendirent. Le soleil déclina peu à peu, l'air fraîchit. C'était un soir de pleine lune, une marée de vive-eau : il y avait de bonnes chances pour que son amplitude suffise à renflouer l'*Isabelle*. Thibault faisait les cent pas en se grattant la nuque. L'amiral observait l'horizon, les bras croisés, avec l'air de quelqu'un qui subit une offense personnelle. Toutes ces minutes arrachées au temps de navigation, ces surtoilages en pleines rafales, ces quarts de sommeil écourtés, tout cela n'avait donc servi à rien. Les hommes attendaient en reprisant des filets de pêche, en jouant aux dames et aux dés, en mâchouillant des racines de réglisse qui leur laissait la bouche toute noire. Lysandre et Georges faisaient la course à qui grimperait le plus vite jusqu'à la vigie. Ema bridait de la corde en chantonnant pour se distraire.

Et les chances de ramener un roi s'amenuisaient de plus en plus.

Il était huit heures et le ciel virait au mauve lorsque, tout doucement, comme si de rien n'était, l'*Isabelle* se dégagea du rocher et se remit à glisser sur l'eau. Une exclamation de soulagement s'éleva de l'équipage. L'amiral se précipita vers la barre et entreprit de diriger le navire vers le large. Mais il ne réussit qu'à le faire tourner sur lui-même. La proue pointait vers le large, mais les courants sous-marins continuaient d'entraîner inéluctablement l'*Isabelle* dans la cathédrale.

« Nous culons », murmura l'amiral, consterné, presque honteux.

Tout le monde à bord retenait son souffle dans l'attente d'un nouvel accrochage. Cette acculée surréelle, angoissante, rappela à Thibault la démarche de la reine Sidra, telle que l'avait imitée Jules. Les hommes avaient ri alors ; maintenant ils tremblaient.

***

À mesure qu'ils s'en approchaient, ils scrutaient cette partie de leur île qu'ils ne connaissaient pas : une falaise lisse et polie dont la base se perdait dans une brume épaisse. À travers les fissures de la paroi rocheuse, des arbres tendaient leurs bras maigres. On aurait dit les âmes de naufragés en attente de secours. Une végétation riche, touffue, parsemée d'arbres plusieurs fois centenaires, couronnait la falaise. Une vapeur émanait de leur cime, comme d'une jungle tropicale. D'énormes lianes pendaient jusque dans la mer.

L'*Isabelle* dérivait toujours, avec une lenteur effrayante, dans un silence troublant. Elle était si proche de la côte que des filets de brume couraient vers elle comme des araignées d'eau. La falaise, qui semblait parfaitement plate de loin, se révéla une illusion d'optique : de près, elle formait un croissant. Le navire venait bel et bien d'entrer dans la baie de la Catastrophe.

Les doigts menus des algues se mirent à envahir les flancs du bateau. En un instant, ils formèrent une vaste toile gluante où s'amassa une colonie d'oursins. Les filets de brume se mirent à glisser contre la coque, à ramper sur les ponts, à grimper le long des mâts.

L'air devint aussi dense que de la bouillie. Les voiles repliées dégoulinaient par terre, tant leur toile était humide. On ne pouvait s'orienter qu'à la cime des arbres, au sommet de la falaise. Le ciel violet se confondait de plus en plus avec leur silhouette sordide. On n'y verrait encore que pour une heure à peine.

C'est alors qu'arrivèrent les voix. Des milliers de voix de femmes unies dans un murmure incompréhensible, menaçant. Les hommes tournaient la tête de tous les côtés. Impossible de savoir d'où le murmure provenait. De la mer, du ciel ? De la brume, de la falaise, de la charpente du navire ? À vrai dire, le murmure semblait émaner de leur propre poitrine, et ils se bouchaient les oreilles pour ne pas devenir fous.

Ainsi, ils n'entendirent pas l'ordre que lançait l'amiral de tout jeter par-dessus bord.

L'amiral hurlait qu'il fallait délester, délester encore, tout jeter par-dessus bord et même couper les ancres. La seule chose à faire, c'était d'alléger le navire. Lorsqu'ils l'entendirent enfin, les hommes se mirent à débouler les escaliers, à se passer tout ce qu'ils trouvaient par les écoutilles ouvertes. Les marchandises ramenées de l'autre bout du monde s'engloutirent dans la baie de la Catastrophe. Objet précieux ou non, tout devait être sacrifié. La rose des vents coula à pic, la trousse de chirurgie la suivit de près. L'huile des lampes se répandait à la surface de l'eau en taches striées d'arcs-en-ciel. Ils démolirent à coups de hache la grande table fixée au sol. Ils éventrèrent l'écubier pour couper la chaîne de l'ancre. Le cuisinier tenta bien de sauver ses dernières réserves, mais on l'écarta sans ménagement. Le navigateur eut davantage de succès avec le sextant et le compas qu'il se passa à la ceinture. Les instruments pesaient lourd et l'entravaient dans ses mouvements, mais il faudrait lui passer sur le corps pour les lui arracher.

L'amiral gueulait et gueulait, convulsif. Les hommes larguèrent leurs effets personnels, puis passèrent, à contrecœur, aux réserves de tabac. Mais l'amiral continuait à gueuler. Dans leur affolement, les marins finirent par jeter n'importe quoi, même des choses qui ne pesaient presque rien, des mouchoirs, des bouts de papier, la chemise qu'ils avaient sur le dos. De loin, Lucas vit Roland en train de hisser sa guitare au-dessus du bastingage et eut un coup au cœur. Mais Ovide se rua derrière le gabier et lui arracha l'instrument. Il courut l'enrouler dans un bout de toile et le cacher dans un coffre étanche, soudé au fond de la cale.

Au milieu de ce grand chaos, personne ne remarqua le dérapage dans la voix de l'amiral, ni la torsion de sa bouche, ni les postillons qui lui pendaient au menton. Il n'était plus qu'époumonement et gesticulations. Pour le reste, il demeurait planté comme un mât dans le plancher du pont. Il cria jusqu'à ce qu'il n'y ait plus que l'équipage lui-même à passer par-dessus bord. L'*Isabelle* n'avait jamais été aussi légère ni aussi instable. Ses œuvres mortes, la partie visible hors de l'eau, dépassaient d'un étage la ligne de flottaison habituelle.

Une lune énorme, rouge vif, se levait sur l'horizon. Elle semblait si proche de la terre qu'on aurait cru qu'elle allait entrer en collision avec elle. Lysandre, qui avait jusque-là tenté de sauver le manuel de chirurgie, se résigna à le lancer à l'eau. C'est en se penchant au-dessus de la rambarde qu'il remarqua un détail insolite : dans la pénombre ambrée, un paquet de cartes s'éparpillait et cinq as se suivaient à la queue leu leu. Il se demanda d'abord à quel tricheur le jeu avait bien pu appartenir et s'il profitait de l'occasion de s'en débarrasser. Mais il vit aussi que les mouchoirs, les cuillers de bois et tout ce qui pouvait flotter suivaient sagement les as. Et, le plus étonnant, c'est qu'ils s'en allaient vers le large.

Malgré son manque d'expérience en navigation, Lysandre comprit d'un coup ce que cela signifiait : le courant qui les attirait irrésistiblement contre la falaise avait la forme d'un fer à cheval. Ils allaient se heurter contre le roc pour repartir en sens inverse, avec une puissance multipliée. Les navires qui s'y faisaient prendre se fracassaient contre la falaise et ne reprenaient le chemin du large qu'en petits morceaux. Mais si l'*Isabelle*, avant de toucher la falaise, parvenait à s'engager dans l'autre jambe du fer à cheval à la suite des cinq as, ils pourraient peut-être s'en sortir.

Lysandre se mit à courir pour prévenir l'amiral, mais il tomba de tout son long. Sans raison explicable, le navire avait cessé de culer et s'était plutôt mis à gîter violemment. La coque résonnait comme un tambour dans le murmure infernal. À chaque coup, les hommes étaient projetés sur le sol.

« Mais qu'est-ce que… » murmura l'amiral, terrifié. En un demi-siècle de mer, il n'avait jamais rencontré pareil phénomène.

Les coups s'acharnaient avec fracas, comme un tonnerre venu des flots. Les hommes se retenaient après tout ce qu'ils pouvaient trouver, certains roulaient d'un bord à l'autre du pont, d'autres s'emmêlaient aux cordages ou étaient assommés par les poulies. Roland s'accrocha des deux mains aux cornes de la chèvre. Personne n'osait regarder par-dessus le bastingage, de peur de voler à sa perte. Ema releva Lysandre et l'entraîna avec elle jusqu'au grand mât. Elle s'enroula l'avant-bras dans une corde et serra le garçon contre elle, la main crispée sur sa chemise.

André entreprit l'ascension du mât d'artimon en l'enserrant de ses cuisses. Dès qu'il fut suffisamment haut pour voir quelque chose, il lâcha un cri d'épouvante. Il serra le mât de toutes ses forces, paralysé.

« Le harpon ! » hurla-t-il.

À ces mots, Thibault, horrifié, remonta à grand-peine jusqu'au bastingage en se retenant à tout ce qui lui tombait sous la main. Le tonnelier s'en aperçut et le suivit, inquiet. Il ne manquait plus que le prince tombe à l'eau. Thibault s'accrocha de toutes ses forces à la rambarde. Seul le gringalet l'y avait précédé, agile, curieux, déjà penché vers la mer, comme s'il allait s'autodélester. Le navigateur lui criait de se tenir tranquille. Georges pesait à peine plus qu'un bouchon de liège, et chacune des tempêtes avait failli l'emporter.

Le tonnelier avait maintenant deux personnes à arrimer, le prince et le gringalet. Par simple comparaison des poids, il priorisa Georges. Il déroula une corde du mât de charge, s'agenouilla et exécuta à toute vitesse un tour mort et une demi-clef à capeler autour de la cheville. C'était le nœud le plus sûr de toute l'histoire de la marine. Quoi qu'il arrive, il ne se déferait jamais.

Ovide ne s'était pas encore relevé qu'un nouveau battement de tambour projeta le gringalet par-dessus bord. La corde se tendit. Thibault se pencha en s'accrochant à la main courante. Il ne pouvait en croire ses yeux : une créature gigantesque frappait le garçon contre la coque de sa queue visqueuse. À elle seule, elle était plus large qu'une bôme et se terminait par des épines verdâtres qui perforaient la bordaille entre les coulées de sang. La peau plissée comme celle d'un éléphant de mer, le monstre avait des yeux glauques de la taille d'un poing d'homme. Sa gueule émergea des flots et s'ouvrit sur une double rangée de dents jaunes aussi fines que des épingles. Il se tordit et s'agita, dans l'effort d'engouffrer le gamin.

« Tirez ! Remontez-le ! » hurla Thibault. Il voulut lui-même se jeter sur la corde, mais s'aperçut qu'il avait Ovide aux pattes en train de lui nouer la cheville. Il se dégagea pour se ruer vers le mât de charge. La corde de Georges passait dans un palan, un arrangement de poulie double qui facilitait la levée de poids. En temps normal, ils l'auraient hissée d'une seule main. Pourtant, même à trois, Thibault, Ovide et le navigateur n'arrivaient pas à la faire bouger. Chaque coup de queue leur faisait perdre l'équilibre, ils se cognaient l'un contre l'autre, les muscles tendus au point de claquer. Deux gabiers traversèrent le pont de peine et de misère pour se joindre à eux.

C'est ainsi qu'ils parvinrent à récupérer le corps brisé du mousse. Ils le couchèrent sur le pont. Son visage était réduit en bouillie ; il lui manquait un bras, l'autre était ouvert jusqu'à l'os ; la peau de son ventre était déchirée et ses viscères en émergeaient un peu plus chaque fois que le bateau était de nouveau secoué.

Lysandre se mordit le poing. Il voulut se précipiter vers ce qu'il restait de son ami. Ema le retint. Il s'agita sauvagement, avec une force que ses membres chétifs ne laissaient pas deviner. Elle resserra sa prise. Il lui enfonça son coude dans le ventre, ses dents dans le bras. Elle se pencha et lui parla à l'oreille. Il cessa de se défendre et se mit à pleurer.

Tout s'était passé très vite. La plupart des hommes, occupés à délester, n'avaient rien vu ni rien entendu de ce drame. Ils n'avaient pas encore compris d'où les coups pouvaient bien venir. Mais ceux qui avaient remonté le gringalet étaient agenouillés autour de lui, incapables d'encaisser le choc. Un gabier se détourna, l'autre vomit.

« Il est mort au premier coup de queue », décida Ovide pour se rassurer lui-même. Il devait crier pour que sa voix perce au-dessus de la forêt et de l'amiral, complètement déchaîné.

« Je le souhaite de tout cœur », cria Thibault, plus réaliste.

Le navigateur, la gorge serrée par les sanglots, se fit entendre à grand-peine.

« Il peut encore nous sauver la vie, mon gringalet. Aidez-moi à le soulever. »

Georges était disloqué de partout, couvert d'eau, d'algues et de sang : il leur glissait entre les mains. Ils durent l'enrouler dans un morceau de toile pour le traîner vers la poupe. Ils tombèrent plusieurs fois face à terre. Le monstre, privé de festin, s'en prenait à la coque avec une vigueur renouvelée. Jamais l'escalier de la dunette ne leur avait paru si raide, si mouvant, si périlleux. Ils finirent par le gravir. Le navigateur retira sa ceinture, à laquelle étaient enfilés le compas et le sextant qu'il avait voulu sauver. Il l'ajusta telle quelle autour de la taille du gringalet, en forçant pour entailler le cuir bien loin du dernier trou. Ils soulevèrent une dernière fois le cadavre par les coins de la toile et le lancèrent par-dessus bord.

Entraîné vers les profondeurs par les instruments de navigation, Georges coula à pic. Le navigateur regarda disparaître le garçon qu'il avait tant aimé et fut tenté de se jeter lui-même à sa suite. La toile qui servait de linceul remonta lentement à la surface en faisant de grosses bulles. Les coups de queue cessèrent instantanément. Sous la poupe se mit à bouillonner une infâme écume rouge, pendant que le monstre dévorait sa proie.

« Ne jetons plus de nourriture par-dessus bord, conclut sobrement le cuisinier. C'est nous qui l'avons attiré, ce monstre, avec nos provisions. Je vous l'avais bien dit, pourt… »

« Oh, ta gueule », coupa un gabier de misaine.

Le navire ne resta pas longtemps immobile. Il recommençait à culer. Ema laissa enfin aller Lysandre. Il fit un pas vers la poupe, là où avait disparu son ami Georges, mais changea d'idée et chargea sur l'amiral. Le navire s'approchait de la falaise à un rythme de plus en plus rapide. Il n'y avait pas de temps à perdre. D'autant plus que le comportement anormal de Dorec ne pouvait plus échapper à personne. Cramoisi de la pomme d'Adam jusqu'au sommet du crâne, il criait des ordres de plus en plus insensés.

« Coupez le mât d'artimon ! »

« Mais le timonier n'est pas encore descendu », s'alarmait Guillaume.

« Qu'on démâte ! Ce n'est qu'un poids en plus ! »

« Mais… démâter, amiral, vous n'y songez pas sérieusement ? »

« La ferme, Lebel, ou tu pars avec le mât ! »

Thibault allait intervenir quand Lysandre le tira par la manche, tout énervé.

« Vite, vite, sire ! Le courant ! »

Thibault, qui entendait calmer l'amiral, ne lui prêta pas attention.

« Venez, sire, je vous en supplie ! » insista Lysandre.

Thibault changea d'idée et décida de le suivre. Ils se penchèrent ensemble au-dessus de l'endroit où avait disparu le jeu de cartes.

« Regardez, regardez ! »

Dans la semi-pénombre, entre les filets de brume, des hamacs se tordaient, l'un à la file de l'autre, suivis d'une traînée de sous-vêtements douteux. Ils prenaient de la vitesse en s'engageant dans le corridor invisible.

« Mais Lysandre… Tu as trouvé la sortie de secours ! » s'exclama Thibault en le saisissant par le bras pour l'attirer vers l'amiral, qui venait d'ordonner qu'on déleste la chaloupe de sauvetage.

« Pardon ? » faisait Guillaume, indigné.

« Qu'est-ce qu'il y a, Guillaume Lebel ? lui criait l'amiral. Tu veux descendre ? Allez, vas-y. Rame jusqu'à la falaise et va te perdre dans la forêt. Tu veux la godille, peut-être ? Hein ? Allez, prends la godille et disparais dans ce potage de brume. Sans blague. La chaloupe ne nous est d'aucun secours. »

« Mais Dorec… »

« Un poids en plus. »

« Mais pour les hommes, c'est le symbole du tout dernier espoir. On ne peut pas s'en débarrasser comme ça », protesta Guillaume en dévisageant l'amiral. Les commissures de ses lèvres étaient mousseuses, sa bouche tordue, ses yeux injectés de sang. Il avait l'air d'un chien enragé. Il voulut frapper du poing dans sa main ouverte, mais la manqua de peu et s'en prit à sa tempe.

« Guillaume a raison », avança Thibault, plutôt perplexe lui-même.

« Balancez la chaloupe! » hurla l'amiral sans répondre ni au second ni au prince. Tous ceux qui l'entendirent comprirent alors qu'il avait touché le fond. Après la perte du roi dont il avait loyalement honoré la confiance, après un combat incessant de neuf jours, dormant peu, mangeant moins, risquant tout, l'échouement de l'*Isabelle* avait pulvérisé ce qui lui restait de bon sens; l'acculée, ce qui lui restait d'orgueil, et l'attente de la marée haute, ce qui lui restait d'espoir. Échec et mat. En balançant la chaloupe, il s'apprêtait à couper les liens avec sa propre raison.

Lui qui avait autrefois sauvé un équipage condamné par les glaces, lui qui, mieux que quiconque, connaissait la mer et ses humeurs, lui dont les ordres n'avaient jamais rencontré qu'une respectueuse obéissance, il se réduisait maintenant à un poids délestable au même titre que les pommes de terre et les vieux caleçons. Ema s'approcha et le mena vers sa cabine en lui promettant un biscuit aux amandes. Il se débattit un peu pour commencer, puis il se laissa faire docilement, les épaules basses, plus chauve que jamais.

« Un biscuit, ah oui, je veux bien un biscuit… »

Sans laisser à Guillaume le temps de réagir, Thibault le conduisit vers l'endroit que lui avait montré Lysandre. Il n'y avait plus d'objets en vue, ils étaient tous déjà repartis vers le large. Thibault s'empressa d'enlever ses bottes et les jeta par-dessus bord.

« Regarde. C'est la seule façon de nous en sortir. »

« Quoi ? Nous désha… » Il s'interrompit dès qu'il vit les bottes de Thibault virer à angle droit et se mettre à accélérer l'une à la suite de l'autre.

« Ça alors, mon prince. Il faut absolument trouver moyen de suivre vos bottes… »

« Exactement. »

« Déhalons-nous. »

Pour se déhaler, il leur faudrait jeter des amarres dans la direction voulue, en espérant qu'elles s'accrochent à quelque chose de solide. Ils s'en serviraient ensuite pour guider la proue de l'*Isabelle* de manière à l'engager dans le courant. Bien sûr, ils risquaient d'attirer la coque contre un nouvel éperon rocheux. Mais une collision avec la falaise serait bien pire encore, fatale à coup sûr. Ils s'en approchaient inéluctablement. Le roc les surplombait. Il leur cachait déjà le ciel en tendant vers eux ses bras de noyés.

Ils trouvèrent deux gaffes qui avaient échappé au grand délestement parce qu'elles étaient en hauteur. L'aide-charpentier y fit des entailles en biseau, que le tonnelier noua aux amarres avec de la ficelle. Ils les lancèrent en plein courant, à l'aveuglette. Les premières tentatives furent vaines. Mais, la quatrième fois, une gaffe s'accrocha à quelque chose et l'autre la suivit de près. Ils parvinrent à approcher la proue du courant et la virent amorcer d'elle-même un virage. Guillaume prit la barre pour manœuvrer le navire entier.

Au moment où l'*Isabelle* allait enfin s'engager dans le courant à la suite des hamacs, des casseroles et des cinq as, le murmure de la forêt s'intensifia, hystérique. L'amiral se mit à gigoter sous son édredon, hilare. Les algues lâchèrent d'un coup sec les flancs de l'*Isabelle*, les oursins s'en écartèrent. Le navire, excessivement léger, fut emporté par un raz si violent qu'il pencha dangereusement à tribord. Le pont était presque à la verticale.

« Rappel ! » crièrent en même temps Guillaume et Thibault.

Les hommes traversèrent le pont à grand-peine en se poussant dans le dos et en se retenant les uns aux autres. Entassés à bâbord, ils luttèrent pour rétablir l'équilibre du navire sans autre poids que celui de leur corps. Ils y parvinrent tout juste. Du côté opposé, la main courante frôlait les flots, et l'écume bavait abondamment sur le pont. Plusieurs se couchèrent carrément sur le bastingage. Le navire filait à toute vitesse, sans une seule voile levée. Aussi mystérieusement qu'elle l'avait attiré vers la côte, la Catastrophe le recrachait maintenant vers le large. Un raclement d'éperon rocheux se faisait entendre de temps à autre, mais sans jamais arrêter le bateau dans sa course. Chaque fois, l'amiral se tordait de rire. Il avait roulé dans un coin de sa cabine, rejoint par sa boîte de biscuits. Il s'empiffrait sans vergogne.

Le courant perdit soudain en force, puis s'éteignit tout à fait. Le navire fut relâché sur les eaux calmes du large. Il se rééquilibra d'un coup sec en penchant à bâbord, où tout l'équipage était amassé. Ils faillirent chavirer de nouveau. Deux des hommes couchés sur le bastingage glissèrent tête première et furent rattrapés de justesse. Guillaume, comme un chorégraphe, redistribua les autres à toute vitesse. Sans les ballasts, ni l'équipement, ni les marchandises, leur flottaison ne serait plus qu'un jeu d'équilibre fragile.

Une fois l'*Isabelle* parfaitement immobile sur une mer parfaitement plate, plusieurs des hommes s'effondrèrent là où Guillaume les avait postés, la tête entre les mains, surpris d'être vivants. Thibault se précipita vers Ema qui se précipitait vers Lysandre. Ils entrèrent en collision. L'amiral surgit alors de sa cabine. Il salua à la ronde et s'installa nonchalamment contre l'appui-fesses. Bien que la nuit fût tombée, il commenta :

« Bien, bien. Quelle belle journée, quel beau temps. Qu'attendons-nous donc pour hisser la grande voile ? »

Il avait complètement oublié ce qui venait de se passer.

Les hommes levèrent la tête, consternés. Albert Dorec, cette légende vivante, ne pouvait pas leur claquer dans les mains de cette façon. Ils avaient placé sa confiance en lui depuis le tout début. Ils se sentaient précipités vers un autre naufrage, plus subtil, mais tout aussi vertigineux.

N'y croyant qu'à moitié, Thibault s'approcha de l'amiral.

« Vous vous sentez bien, amiral ? »

« Je me porte à merveille, mon petit. »

« Bon. Tant mieux, amiral. Vous voulez passer au carré, un instant ? Vous reposer un peu ? »

« Puisque je te dis que je suis en pleine forme, Séraphin. Mais regarde-moi ce gréement tout *fripenaillé*. On a coupé les palans, ou quoi ? Hein ? »

Thibault ne savait que dire. Allait-il ramener un héros national en petites miettes ? Il fit signe à Ema.

« Oui, Séraphin ? » répondit-elle, et la moitié de l'équipage, tendu, éclata de rire.

« Je crois que l'amiral a bien mérité un biscuit. »

« Un biscuit ? Ah oui, je veux bien un biscuit… »

Dorec reprit l'escalier en titubant et en faisant plusieurs pauses, à la recherche de coccinelles et de jonquilles. Ema, qui le soutenait de son mieux, faillit tomber à la renverse. Félix finit par s'en mêler. Il saisit l'amiral à la taille et le transporta sous son bras jusque dans sa cabine.

Guillaume n'aurait pas eu l'air plus ébranlé si Gloriole avait changé d'hémisphère. Sans personne à sa tête, l'équipage était décapité. Il fixait l'horizon, les mains dans les poches, la poitrine oppressée. Mais Thibault ne pouvait lui donner le temps d'absorber un tel choc. Il vint lui poser une main sur l'épaule.

« On dirait que vous venez d'être promu, capitaine Lebel. Nous attendons vos ordres. »

Guillaume haussa les sourcils et respira un bon coup. En quelques secondes à peine, il entra dans son nouveau rôle.

« Qu'on vérifie l'état des cales et qu'on me fasse un rapport, immédiatement. Qu'on rétablisse la voilure… »

Il se tourna vers Thibault.

« La nuit est tombée, mon prince », soupira-t-il.

« Quelle heure est-il, exactement ? J'ai perdu le compte. »

« Nous avons délesté les sabliers, sire. Il doit être neuf heures. Plus ou moins. Et nous avons encore six bonnes heures de route. Nous n'arriverons pas à temps. »

« Au point où nous en sommes, je serai content qu'on arrive tout court. »

« Je préfère qu'on fasse demi-tour et qu'on vire à l'ouest, alors. Prenons le parcours habituel en faisant le tour complet de l'île. Nous y mettrons la nuit entière et une partie de la journée de demain. Si nous ne nous embardons pas, nous arriverons en fin d'après-midi. »

Mais le cuisinier et le tonnelier accouraient.

« Nous sommes à court de provisions et d'eau potable, sire. Complètement à sec. Nous avons tout jeté par-dessus bord. »

Ils avaient l'air dépités. Sans nourriture ni eau, ils venaient tous deux de perdre leur raison d'être.

« Je n'aurai pas soif avant d'arriver à Pierre d'Angle », cria un homme encore assis par terre.

« Ni faim non plus », renchérit un autre.

« Ni faim ni soif », reprirent les hommes en se relevant.

Leur bonne volonté impressionna Thibault, mais une part de lui craignait que la soif ne fasse d'autres victimes. Plusieurs hommes, d'ailleurs, ne se redressaient pas. L'infirmier passait de l'un à l'autre, alarmé. Ema aperçut Lysandre qui pleurait dans un coin en se cachant le visage dans le coude.

« C'est Georges, n'est-ce pas ? » demanda-t-elle doucement.

Lysandre fit oui de la tête.

« Il nous a sauvé la vie, Lysandre. À lui tout seul, un si petit homme, il a sauvé la vie de tout un équipage. »

Lysandre pondéra un moment cette version des faits. Que la mort de son ami ait eu une forme d'utilité l'apaisait un peu. Ema caressa ses cheveux raides.

« Ne reste pas tout seul dans ton coin, Lysandre. Tu veux bien donner un coup de main au chirurgien ? Il a besoin d'aide pour réinstaller l'infirmerie. Ou ce qui en reste. »

Dans l'entrepont, les rares instruments qui n'avaient pas été jetés par-dessus bord traînaient là où les secousses les avaient laissés, le rideau était déchiré, le matelas de paille avait disparu. Le chirurgien grognait en rapaillant ses affaires. Il avait l'œil hagard et la bouche sèche. L'aide de Lysandre était bienvenue.

Cependant, le charpentier, son apprenti et le géologue remontaient des cales au pas de course, précédés par un rat qui fila entre les jambes du prince. Un rat ! Le capitaine comprit du coup l'ampleur des dégâts.

« Ça y est, alors ? La vermine déménage ? »

« C'est pas beau à voir, Guillaume, euh… capitaine, répondit Jules. Le niveau inférieur est complètement inondé. Et il y a au moins une autre grande brèche en hauteur, irréparable, surtout dans le noir. »

« Comment, dans le noir ? »

« Nous avons jeté la plupart des lampes, capitaine et… les barils d'huile à lanterne. »

« Bravo. »

Ovide et Jules levèrent les bras en signe d'impuissance. Dans la panique et sous les ordres malades de l'amiral, l'équipage avait perdu les pédales.

« Qu'on condamne le niveau inférieur le plus étanchement possible, reprit Guillaume. Qu'on condamne les cales une à une dès que l'eau s'y infiltre. »

« Nous coulons ? » demanda Thibault.

« En d'autres mots, sire. Nous coulons. Lentement, mais sûrement. »

« Alors ? »

« Alors, sire, nous devons couper au plus court. Oublions le trajet habituel. Oublions même le large. Continuons plutôt de longer la côte est jusqu'à l'Anse-aux-Moutons en priant pour qu'il n'y ait pas d'écueils ni de courants imprévus. Nous ne pourrons pas avancer très vite, mais, si tout va bien, nous arriverons juste avant l'aube. »

Guillaume sourit faiblement. Il ajouta :

« Ce qui vaut mieux qu'arriver en plein jour, sire, d'une certaine façon. »

« Et pourquoi donc ? »

« Nous n'avons plus d'ancre, mon prince. »

« Ah. Oui. »

« Nous allons devoir nous échouer volontairement, sire. Quand je pense que c'est le tout premier mouillage sous mon commandement... »

Thibault éclata de rire. Guillaume eut peur qu'il n'ait pris le même chemin que l'amiral. Mais le prince lui fit l'accolade.

« Nous sommes vivants, capitaine, dit-il. Vivants. »

***

Sous la lune magnifique, la mer brillait comme la vitrine d'un orfèvre. La silhouette opaque de l'île s'y découpait, de plus en plus familière. Mais la nuit fut éprouvante pour tous, d'une façon ou d'une autre. Une bise mordante s'était levée qu'il leur fallut endurer en bras de chemise. Ils avaient faim et soif. Le sel leur brûlait les lèvres. On ne comptait pas les muscles, les tendons, les ligaments étirés, les foulures, les grosses bosses, les coupures. Toutes voiles tendues, l'*Isabelle* ne voguait qu'au ralenti. La ligne de flottaison s'abaissait d'heure en heure. Les œuvres mortes devenaient œuvres vives. Des équipes se relayaient à la pompe. D'autres ajustaient à tout moment les fuites avec des bouts de guenille arrachés à leurs vêtements et des pinoches sculptées dans le bois de la godille. On coulait. Lentement, mais sûrement.

« Qu'en pensez-vous, capitaine, il est minuit ? » demanda Thibault en observant les astres.

« À quelques minutes près, je dirais, sire. »

« Je parie que mon frère se fera couronner à minuit sonnant. »

Ema s'approcha. Thibault lui passa un bras autour des épaules.

« Pour vos sujets, vous êtes le roi, sire, l'assura Guillaume. Votre frère Jacquard n'aura pas la partie facile. »

Après ce qui sembla à tous une éternité, lorsqu'il ne resta plus qu'une seule étoile au ciel et qu'à tribord l'horizon commençait à rosir, apparut enfin le phare qui marquait l'embouchure de l'estuaire, l'unique voie d'accès de Pierre d'Angle. Ils virèrent.

Dès que l'*Isabelle* fut engagée dans l'estuaire, les hommes virent, au bout de l'anse, les pêcheurs qui sortaient lentement du port. Leurs barques étaient précédées par un fanal pendu au bout d'une longue perche. On aurait dit des lucioles. Elles glissaient dans l'obscurité, en compagnie de leur reflet. L'équipage épuisé les observait sans rien dire, la gorge serrée par l'émotion.

Seule la flamme vacillante d'un cierge planté à la proue signalait encore leur avancée. L'*Isabelle* ressemblait au vaisseau fantôme qu'ils avaient croisé dans les tropiques. Son cordage pendait dans le vide, comme pendaient des pans entiers de son bordage. Elle penchait dangereusement du côté où l'eau s'infiltrait le plus vite. Le museau du renard blanc rasait la surface de l'estuaire. Guillaume faisait longer la berge dans l'espoir de s'échouer avant de sombrer tout à fait.

À leur vue, un pêcheur se leva dans sa barque. Le fanal se mit à trembler dans l'aube. « Le prince ! » cria-t-il, et sa voix fut happée par l'air humide.

« Le prince ! » cria un autre. Les lumières se mirent à valser, à mesure que les pêcheurs se mettaient debout. « Le roi est mort, vive le prince ! » osa un troisième, qui avait Jacquard en horreur et qui avait prié jour et nuit pour que Thibault revienne à temps. « Vive le prince ! Vive le prince ! » reprirent les autres à leurs risques et périls.

Au même moment, l'*Isabelle* toucha le fond sableux de l'estuaire. Sans un bruit, elle s'y reposa enfin, couchée sur un flanc, parfaitement immobile. Les barques l'abordèrent une à une et ramenèrent l'équipage au port en un long cortège sinueux.

Dans l'embarcation qui le ramenait, Thibault, oppressé, serrait la main d'Ema. Il n'était qu'un prince revenu trop tard chez lui, sur un vaisseau brisé, avec un homme en moins et un amiral fou.

Le pire, il s'en doutait bien, était encore à venir.

DÉCOUVREZ LA SUITE DE CE RÉCIT CAPTIVANT DANS *LA COURONNE*.

Le prince Thibault a pris d'énormes risques pour arriver à temps à Pierre d'Angle. Il a failli perdre son équipage, son bateau, il a même perdu un homme. Perdra-t-il la couronne qui lui revient de droit?

LISTE DES PERSONNAGES

L'entourage du prince Thibault

Le prince Jacquard

Le roi Albéric, père du prince Thibault et
du prince Jacquard

Feu la reine Éloïse, mère du prince Thibault

La reine Sidra, mère du prince Jacquard

Clément de Frenelles, précepteur du prince Thibault

Ema Beatriz Ejea Casarei

Lysandre

L'équipage de l'*Isabelle*

L'amiral Albert Dorec

Guillaume Lebel, le second

Le navigateur

Félix, un premier-maître timonier, le frère d'André

André, un premier-maître timonier, le frère de Félix

Deux seconds-maîtres timoniers

Quatre chefs de hune

Huit gabiers, dont Roland et Marcel

Le géologue

Le cuisinier

Un aide-cuisinier

Le buandier

Ovide, le tonnelier

Jules, le maître charpentier

Un aide-charpentier, aussi forgeron

Louis, le chirurgien-coiffeur

Lucas Corbières, l'infirmier

Quatre matelots calfats et voiliers, bons à tout faire

Georges Delorme, dit *le gringalet*, un mousse

GLOSSAIRE

Accastiller : équiper un voilier d'objets et d'accessoires divers.

Amariner : habituer un équipage à la mer, aux manœuvres, au régime du bord.

Avitaillement : fournir à un navire ses approvisionnements de voyage (vivres et matériel de rechange).

Bâbord : côté gauche du bateau vu du barreur.

Bôme : pièce de gréement en bois placée en travers d'un mât pour soutenir et orienter la partie inférieure d'une voile aurique (une voile en forme de trapèze).

Brider : rapprocher plusieurs cordages tendus parallèlement par plusieurs tours d'un autre cordage qui les serre en leur milieu, pour augmenter leur tension.

Calfater : boucher avec de l'étoupe les fentes de la coque d'un navire en bois pour la rendre parfaitement étanche.

Culer : en parlant d'un bateau, reculer, aller en arrière.

Déhaler : remorquer un navire au moyen d'amarres, de câbles ou de cordages.

Drosser : en parlant du vent, des courants, pousser un navire vers la côte.

Dunette : superstructure placée à l'extrémité arrière du navire, s'étendant d'un bord à l'autre et complètement fermée.

Écoutille : ouverture ménagée dans le pont d'un navire pour donner accès aux cales et aux entreponts.

Écubier : ouverture circulaire ou ovale, ménagée dans la muraille d'un navire, dans laquelle passent les chaînes d'ancre.

Étrave : partie avant du bateau qui fend l'écume.

Filin : nom générique désignant les cordages.

Gabier : matelot attaché au service des hunes.

Gaffe : pièce en bois munie d'un crochet.

Gamberet : petit pont de bois amovible reliant le navire à la terre ferme.

Gréement : l'ensemble des cordages et autres objets servant à l'établissement, à la tenue ou au jeu de la mâture, des vergues et des voiles d'un navire. Les vergues sont des pièces placées perpendiculairement au mât pour soutenir et orienter la partie inférieure d'une voile.

Grenouille : petite bourse.

Haler : remorquer un navire le long d'une voie navigable ou d'un quai à l'aide d'un câble ou d'un cordage, à partir de la berge.

Hauban : câbles et cordages qui assurent le soutien latéral des mâts d'un navire à voiles.

Hune : plateforme arrondie à l'avant, qui repose sur un bas-mât.

Mât de misaine : mât de l'avant, situé entre le grand mât et le beaupré.

Misaine (gabiers de) : gabiers affectés au mât de misaine.

Palan : système de poulies doubles permettant de hisser verticalement des poids en les démultipliant.

Poupe : arrière d'un navire.

Prise de ris : action de replier en partie une voile pour en réduire la surface en fonction du vent.

Proue : avant d'un navire.

Radoub : entretien ou réparation de la coque d'un navire dans un bassin affecté à cet usage.

Timonier : matelot chargé de la barre, de la veille et des signaux d'un navire.

Tribord : côté droit du bateau vu du barreur.

Vareuse : blouse, partie de l'uniforme des matelots.

Videlle : pièce destinée à rapiécer une voile.

Zéphyr : vent doux et agréable.

(sources : larousse.fr, netmarine.net, emn-voile.fr)

Achevé d'imprimer au Canada
sur les presses de Imprimerie Lebonfon Inc.